Über dieses Buch

Dieses Buch informiert kurz und knapp über die wichtigsten Engel-Überlieferungen und ausführlich über den selbständigen, praktischen Gebrauch des Engel-Orakels. Mit vielen Legemustern, wunderschönen Engel-Karten und hilfreichen Tipps zu Liebe, Glück und Erfolg.

„Engel sind Symbole. Sie erinnern an Kräfte, die in uns schlummern, und daran, dass das Leben größer, reicher, vielfältiger und liebevoller ist, als wir oftmals ahnen. Je mehr wir von diesen Möglichkeiten Gebrauch machen, um so mehr werden wir uns und unseren Mitmenschen selbst zum Engel – zum Freund und Helfer – und um so häufiger gelingt es uns, (im übertragenen Sinne) selbst zu fliegen."

Von derselben Autorin

Von Erfolgsautorin Pia Schneider sind auch folgende Titel im Königsfurt-Urania Verlag erschienen:

Engelhelfer – Liebe, Glück, Erfolg
ISBN 978-3-89875-881-9 (Buch allein)
ISBN 978-3-89875-637-2 (Karten allein)
ISBN 978-3-89875-880-2 (Buch und Karten im Set)

Liebes-Orakel – Liebe, Glück, Erfolg
ISBN 978-3-89875-776-8 (Buch und Karten im Set)

Kipper Orakel-Karten – Liebe, Glück, Erfolg
ISBN 978-3-89875-864-2 (Buch allein)
ISBN 978-3-89875-876-5 (Karten allein)
ISBN 978-3-89875-857-4 (Buch und Karten im Set)

Zusammen mit Richard Witthüser:
Ein Engel für dich – Liebe, Glück, Erfolg
ISBN 978-3-89875-865-9 (Buch allein)
ISBN 978-3-89875-858-1 (Buch und Karten im Set)

Pia Schneider

Engel-Orakel

Liebe · Glück · Erfolg

KÖNIGSFURT-URANIA

Nach Texten von
Evelin Bürger & Johannes Fiebig

Bibliografische Information Der Deutschen Bibliothek
Die Deutsche Bibliothek verzeichnet diese Publikation in der Deutschen Nationalbibliografie; detaillierte bibliografische Daten sind im Internet über http://dnb.ddb.de abrufbar.

4. Auflage

Originalausgabe
Krummwisch b. Kiel 2013

D-24796 Krummwisch
www.koenigsfurt-urania.com

Abbildungen Umschlag und Inhalt: s. Bildquellenverzeichnis S. 94f.
Alle Abbildungen, die nicht von den Museen zur Verfügung gestellt wurden, stammen aus dem Norddeutschen Bildarchiv, Kiel

Texte unter Verwendung von Legemustern aus Pia Schneider „Engelhelfer" und einzelnen Hinweisen aus Ruth Kendell „Engel",
für beide Titel © Königsfurt-Urania Verlag, Krummwisch

Umschlag, Satz, Lithos: Stefan Hose, D-24357 Götheby-Holm
Printed in EU

ISBN: 978-389875-833-8 (Buch separat)

ISBN: 978-389875-841-3 (Karten separat)

ISBN: 978-389875-832-1 (Buch & Karten im Set)

Inhalt

Die Befragung des Engel-Orakels

Mit der Befragung des Orakels können wir uns intuitiv auf die heilende Energie der Engel einstimmen und eine Kontaktaufnahme mit der himmlischen Welt herbeiführen. Dabei wissen wir, dass der „Himmel" stets auch ein Spiegel unserer irdischen Hoffnungen und Ängste ist. Und dass die „Engel" auch ein Symbol für helfende Kräfte in uns selbst sowie in unseren Mitmenschen sind.

Das Engel-Orakel macht die Begegnung mit der Schönheit und Weisheit, der Kraft und der Liebe der Engel zu einer bewussten täglichen Erfahrung.

Wenn Sie mit dem Engel-Orakel arbeiten, werden Ihnen innere Führung und spirituelle Erkenntnis zuteil. Die Karten helfen Ihnen, sich auf höhere Schwingungen – auf die „Frequenz der Engel" – einzustimmen. So werden Sie mit Ihnen leicht und dauernd in Verbindung stehen. Sie werden die helfenden Hände der Engel spüren.

Die Zukunft kann das Engel-Orakel allerdings nicht vorher sagen. Denn die Zukunft liegt in Ihren eigenen Gedanken und Entscheidungen – und sie liegt bei Gott, der im Himmel sowie unter den Menschen und in jedem von uns wohnt!

Nichts Zukünftiges ist bereits jetzt unwiderruflich festgelegt. Wenn Sie der Inspiration durch die Engel folgen, erheben Sie Ihr Bewusstsein und entwickeln sich auf eine höhere Ebene. Damit ziehen Sie automatisch auch Menschen und Situationen an, die einer höheren Schwingungsebene (einer höheren Entwicklungsstufe) angehören.

Wenn Sie sich in eine Meditation versenken und sich dabei auf die spirituellen Ratschläge der Engel, wie sie durch die folgenden Orakel geboten werden, konzentrieren, beginnen Sie sich innerlich zu öffnen. Es ist sicher, dass diese Arbeit, wenn Sie sie kontinuierlich ausführen, Ihnen helfen wird, alte negative Gedankenmuster loszulassen, emotionale Blockaden aufzulösen, und neue Tore zu öffnen.

Das Engel-Orakel bringt Licht in Ihr Bewusstsein, und Licht birgt spirituelles Wissen oder sogar Weisheit.

Und so wird's gemacht

Eine gute Vorbereitung für die Befragung des Engel-Orakels ist es, zu beten oder zu meditieren. Inne halten, zur Ruhe kommen, schweigen – diese Momente sind dabei genauso wichtig, wie im Gebet seine Wünsche und Ängste sich und dem Himmel einzugestehen und wie in der Meditation alle Gedanken fließen zu lassen, auf dass der Kopf leer und das Herz leicht werde.

Beim Meditieren bringen Sie Ihre Gedanken zum Schweigen, so dass die Stimme „Gottes" deutlicher zu hören ist.

In diesen Augenblicken der Stille, in denen das ununterbrochene Geplapper unserer Gedanken und das noch lautere Geschwätz unserer Emotionen verstummen, lassen die Engel, jene Boten Gottes, heimlich und leise die schönsten Inspirationen, Botschaften oder beflügelnde neue Ideen in unser Bewusstsein gleiten.

Wenn Sie sich ein bisschen Zeit nehmen, um tief durchzuatmen, sich zu entspannen und Ihre Gedanken zur Ruhe zu bringen, bevor Sie eine Befragung des Orakels beginnen, können und werden Sie viel mehr von den Engeln empfangen, als wenn Sie ohne eine solche Vorbereitung starten.

Öffnen Sie sich und vertrauen sie darauf, dass die Antwort der Engel in der Karte oder in den Karten liegt, die Sie nun ziehen werden. Schließlich haben die Engel Ihnen eingegeben, welche Karte Sie ziehen sollen.

Manchmal passiert es, dass wir die Antwort, die eine Karte uns gibt, nicht sogleich verstehen. Dann ist am besten, sich erneut ruhig hinzusetzen und zu meditieren. Blicken Sie tiefer in sich hinein. Betrachten Sie das gezogene Kartenbild noch einmal. Dann wird Ihnen der Sinn der Botschaft noch klarer werden.

Am besten ist es, zuerst die Befragung des Orakels mit einer oder mit drei Karten zu uben. Danach können auch größere Auslagen gemacht werden!

Eine Karte ziehen

Formulieren Sie in Gedanken Ihre Frage oder sprechen Sie sie laut vor sich hin, während Sie die Karten mischen. Dann ziehen Sie (mit der linken Hand – aber eigentlich ist es gleich, ob sie mit der linken oder der rechten Hand ziehen) eine Karte aus dem Stapel. Manche Leute bevorzugen es jedoch, die Karten fächerförmig auf den Tisch auszubreiten, dann die Hand darüber wandern zu lassen und dann intuitiv eine Karte aus dem Fächer zu ziehen. Wie auch immer, entscheidend ist die innere Einstellung, diese typische Mischung aus Konzentration und Offenheit.

Drei Karten ziehen

Wenn Sie Ihre Frage gestellt haben, ziehen Sie bei dieser Übung wiederum (mit der linken Hand) drei Karten aus dem Kartenstoß oder aus dem auf dem Tisch ausgelegten Kartenfächer. Nehmen Sie die drei Karten, zu denen Sie sich spontan am meisten hin gezogen fühlen.

Die erste dieser drei Karten steht für die Gegenwart, für die aktuelle Situation, und genau hier und jetzt wird die Antwort kommen, die Idee zur Lösung Ihrer Frage geboren.

Die zweite Karte steht für die unmittelbare Vergangenheit. Das ist die Zeit der Genese, der Entstehung Ihrer heutigen Frage

Die dritte Karte steht für die Zukunftsaussichten, für die nächste Entwicklung und die möglichen nächsten Schritte, die das Engel-Orakel Ihnen vorschlägt.

Decken Sie die Karten jeweils einzeln auf, betrachten Sie das Bild, lesen Sie die Hinweise zur betreffenden Karte.

Wenn Sie alle drei Karten aufgedeckt haben, meditieren Sie über die Antwort des Engel-Orakels.

Betrachten Sie die Entwicklung in den drei Karten. Worin unterscheiden sie sich, was haben sie gemeinsam? Welchen Zusammenhang, welchen Hinweis erkennen Sie darin?

Beschließen Sie die Befragung, indem Sie ein Resümee, einen inneren Vorsatz laut vor sich hin sagen.

Dann beenden Sie die Sitzung mit einer Verbeugung, einem kleinen Lied oder einem tiefen Atemzug und der Wiederholung Ihres Resümees.

Wie lautet die Botschaft?

Die Botschaft und der Ratschlag der Engel liegt in den Karten, die Sie gezogen haben.

Wenn die Antwort Ihnen klar erscheint, dann legen Sie eine oder zwei praktische Konsequenzen fest, und beginnen Sie mit der Umsetzung dieser praktischen Schlussfolgerungen. Erst dann ist die Deutung abgeschlossen. Erst dann ist ein Gebet beendet, wenn man etwas für seine Umsetzung tut!

Sollte die Antwort jedoch zunächst noch unklar sein, so ist es wichtig erneut zu beten, zu meditieren, tief durchzuatmen – vielleicht Yoga zu machen oder spazieren zu gehen, und dann erneut die Karten zu betrachten.

Wenn Sie einige Zeit mit einer oder mit drei Karten Erfahrungen gesammelt haben, kann auch eine der folgenden Auslagen zu Rate gezogen werden.

„Engels Wegweisung“

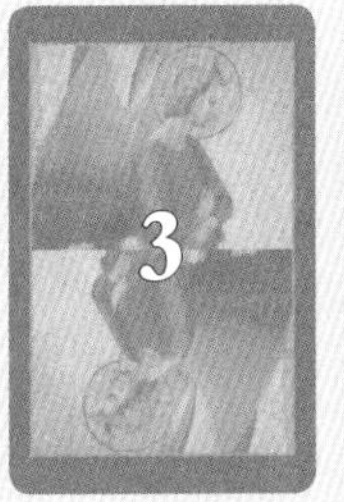

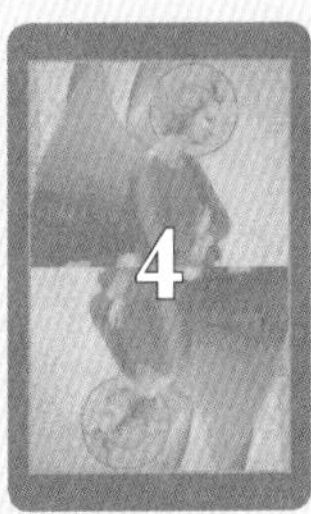

1 – „Das kennst Du bereits“
2 – „Das kannst Du gut“
3 – „Das ist noch neu“
4 – „Das lernst Du nun dazu“

„Lernaufgaben“

1 – „Was habe ich erfahren?“
2 – „Worauf kann ich mich verlassen?“
3 – „Welche Wünsche machen mich stark?“
4 – „Welchen Ängsten will ich mich stellen?“
5 – „Wo liegen meine Hindernisse?“ / „Was passt nicht mehr zu mir?“
6 – „Wo finde ich Unterstützung?“
7 – „Wie kann ich meinen Wünschen Nachdruck verleihen?“

„Engels Ruf“

1 – „Dein Thema, Dein Problem“
2 – „Deine Aufgabe; mein Ruf an Dich“
3 – „So wird es gelingen; Deine Chance“

„Engels Rat“

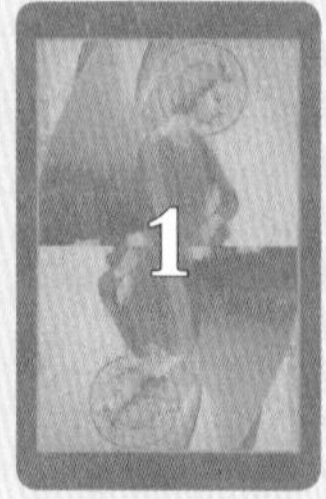

1 – „Dies lasse los; das ist jetzt nicht wichtig“
2 – „Dies übe fleißig; das hilft Dir weiter“

„Selbstbefragung“

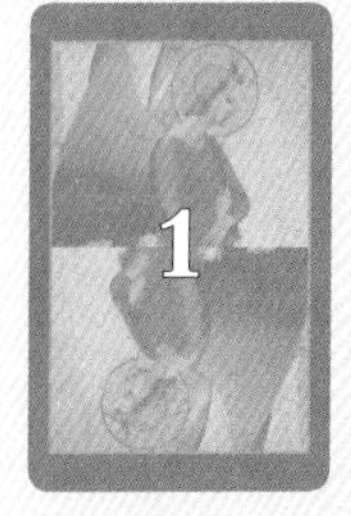

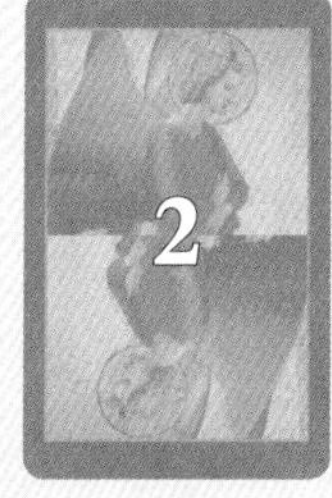

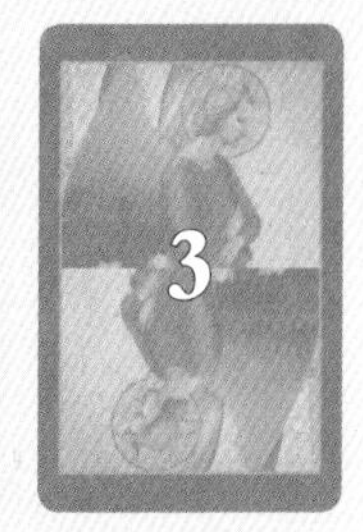

1 – „Wer bin ich?“
2 – „Was brauche ich?“
3 – „Wie bekomme ich es?“

„Das große Engel-Orakel“

1 – „Dein Ausgangspunkt, Deine himmlische Heimat“
2 – „Deine Begabung, eine besondere Stärke“
3 – „Ein altes Problem für Dich, eine Erblast“
4 – „Deine Schwäche, auch: wofür Du eine Schwäche hast“
5 – „Ein neuer Anfang, der den Himmel erfreut“
6 – „Neue Talente, die Du erweckst“
7 – „Ein Geschenk des Himmels an Dich“
8 – „Deine aktuelle Aufgabe auf Erden“

Zum Schluss der Auslage

Zum Schluss ist es in jedem Falle wichtig und eine gern geübte Praxis, sich einen Augenblick Zeit zu nehmen, um den Engeln zu danken.

Machen Sie sich noch einmal bewusst, dass Sie mit jedem Mal, bei dem Sie mit einem der folgenden Engel-Orakel arbeiten, Ihre Empfindungen, Ihre Schwingungsfrequenz erhöhen und sich das Tor für neue Horizonte, für neue, höhere und schönere Möglichkeiten eröffnen.

Der Engel in dir

Der Engel in dir
freut sich über dein
Licht
weint über deine
Finsternis
Aus seinen Flügeln rauschen
Liebesworte
Gedichte
Liebkosungen
Er bewacht
deinen Weg
Lenk deinen Schritt
engelwärts

(Rose Ausländer)

Die Engel
und ihre Botschaften

I. Der Engel der Einzigartigkeit

Hilfe durch reale Wunder

„Jeder Mensch ist etwas Besonderes“

Dieser Engel hilft uns,

Wunder zu erleben. Mit seiner Unterstützung gelingt es, allen Unkenrufen und allen Zweifeln zum Trotz, das scheinbar Unmögliche möglich zu machen. In schwierigen Zeiten gibt er unserem Geist Kraft und Stärke.

So ist er auch ein Engel der Barmherzigkeit, der Reue und der Segnung. Er kündet von Unsterblichkeit, Schöpfungskraft und Liebe.

Stichworte: Genügsamkeit, Selbstsicherheit, Anpassungsfähigkeit, Lernfähigkeit. Größere Lösungen.

Warnung: vor unklaren, widersprüchlichen Interessen, übereilten Trennungen, unglücklichen Verbindungen.

Der Engel der Einzigartigkeit hilft denen, die ihn anrufen, eine passende, individuelle Lösung zu finden. Dabei gilt es, geduldig zu bleiben. Er ist zugleich der ideale Helfer bei Schlaflosigkeit.

Was dieser Engel bewirkt

Dieser Engel symbolisiert das höhere Selbst oder den funkelnden Diamanten in jedem Menschen. Er hilft uns bei der Suche nach unserer Bestimmung und steht für Mut und Kraft. Daraus erleben wir mit ihm wirkliche Wunder.

Dem Engel der Einzigartigkeit geht es nicht um frommes oder eitles Beten und Bitten. Nicht Aberglaube oder Leichtsinn sind es, was dieser Engel Ihnen nun vorschlägt, sondern *ein leichtes Herz* und die Rückkehr zum Wesentlichen.

Auf dem heutigen Gipfel der Erfahrung anwesend sein, den Augenblick spüren, seinen Einfällen vertrauen, spontan handeln, ausprobieren, improvisieren, genießen, staunen, mit Freude bleiben und mit Freude weitergehen ... das zählt.

Dieser Engel unterstützt Sie dabei, zu 100 Prozent Sie selbst zu sein.

„Wenn man unter Ewigkeit nicht unendliche Zeitdauer, sondern Unzeitlichkeit versteht, dann lebt der ewig, der in der Gegenwart lebt."

(Ludwig Wittgenstein)

Tipp

Sie sind frei für Experimente – frei, Antworten nicht zu kennen oder Ihre Meinung zu ändern – offen für neue Erfahrungen und Wunder.

Liebe

Wo Liebe und Achtung sich verbinden, da erblüht der Mensch in seiner Eigenart wie eine schöne Blume.

Glück

Sie sind im allgemeinen beliebt, sollten sich aber vor Eitelkeit hüten.

Erfolg

Wenn Sie mit dem Engel der Einzigartigkeit in Verbindung stehen, sind Sie in der Lage, große Aufgaben zu meistern und schwierige Rätsel zu lösen.

II. Der Engel des Erkennens

Hilfe durch Lernen und Erfahrung

„Die richtige Einsicht heilt“

Dieser Engel hilft uns,

wenn wir uns schwach oder krank fühlen. Er gibt den Mutlosen Mut und den Hoffnungslosen Hoffnung. Er erwartet die Bereitschaft zur Einsicht – zu Kritik und Selbstkritik – zum Abschied und zur Versöhnung. Er findet neue Chancen für die Liebe.

So ist er auch ein Engel des Wissens, des Heilens und der Prüfungen. Er begleitet Reisende und beschützt die Kranken.

Stichworte: Neue Entwicklungen. Neue Erkenntnis, Vertrauen, Einsicht.

Warnung: vor Gleichgültigkeit, Eifersucht, Untreue, unausgesprochener Liebe, heimlichen Leiden, Entscheidungsschwierigkeiten.

Der Engel des Erkennens hilft denen, die ihn anrufen, aus Erfahrungen zu lernen, Fehler nicht zu wiederholen und neue Lösungswege zu entdecken.

Was dieser Engel bewirkt

Er bringt Freude, Heilung, Liebe, Wunder und Gnade. Außerdem verleiht er auch Mut und treibt den Durst nach Wissen und Weisheit voran.

Denn *der Engel des Erkennens* steht für die Kraft des bewussten Lebens. Er unterstützt Ihre geistigen Kräfte. Er beeinflusst die mentalen Energien, die von Ihnen ausgehen oder mit denen andere auf Sie einwirken. Sorgen Sie für Festigkeit und Gründlichkeit in Ihrem Bewusstsein. Machen Sie sich klar, was Sie wissen, und geben Sie zu, was Sie nicht wissen. Die Alltagserfahrung lehrt uns:

Was benutzt wird, nutzt sich ab. Beim menschlichen Geist verhält es sich jedoch gerade umgekehrt: Er stärkt und vermehrt sich mit seinem Gebrauch.

„Gehe nicht in den Fußstapfen der Meister. Suche, was sie suchten.“

(Zen-Spruch)

Tipp

Nutzen Sie Ihr geistiges Potenzial, aktivieren Sie brachliegende persönliche Möglichkeiten

♥ Liebe

Bewusste Liebe bringt Herz und Verstand zusammen. Manche Romantik wird durch den Verstand nüchterner. Viele Wünsche und Leidenschaften bekommen aber überhaupt erst eine Chance, wenn man sie bewusst, eben mit Herz und Verstand, angeht und kultiviert.

♣ Glück

Lassen Sie Ihren Geist in alle Richtungen arbeiten. So erfahren Sie das Glück des Lernens und Reifens!

➚ Erfolg

In Ihren aktuellen Fragen schlummern große Gedanken.

III. Der Engel der Erfüllung

Hilfe durch Wandlung

„Kümmere dich um dein Leben"

Dieser Engel hilft uns,

Wünsche und Hoffnungen zu erfüllen. Dabei ist er ein Brückenbauer, Meister der Stufen und Zwischenschritte – der ideale Vermittler zwischen Himmel und Erde. Er unterstützt uns, unsere Träume und Visionen zu deuten. Er gilt als der Engel, der zugegen ist, wenn eine neue Epoche eingeleitet wird und eine alte zu Ende geht.

So ist er auch ein Engel des Übergangs, der Offenbarung und des „jüngsten Tags", der stets *heute* ist.

Stichworte: Fülle, Reife, Wunscherfüllung, neues Glück.

Warnung: vor enthüllten Geheimnissen, unerwünschten Offenbarungen und Peinlichkeiten.

Der Engel der Erfüllung hilft denen, die ihn anrufen, mit den Gaben des Geschehenlassens, des sich Einlassens und des Vertrauens.

Was dieser Engel bewirkt

Er ist der Engel der Verbindung von Himmel und Erde. Manchmal bringt diese Gegenüberstellung von Himmel und Erde, von Wunsch und Wirklichkeit, eine Enttäuschung mit sich. Doch das ist nicht seine Schuld. Er ist nur der Bote. Die Enttäuschung war dann vorher bereits da. Nun ist sie nicht mehr zu übersehen, und er gibt uns die Chance der Wandlung und Weiterentwicklung. Er lehrt uns, unseren wirklichen Wünschen treu zu bleiben, aber nicht an bestimmten *Vorstellungen* von diesen Wünschen zu kleben. Fetische sind für ihn kein echtes Glück.

Eine der bekannten Weisheiten, die im Zen-Buddhismus den Schülern mit auf den Weg gegeben werden, lautet: „Triffst du Buddha unterwegs, töte Buddha". Dieses Motto ist mit dem biblischen Gebot zu vergleichen, man solle sich von Gott kein bestimmtes Bild machen. In ähnlicher Weise soll man sich eben von den „richtigen" Erfolgen und Erfüllungen kein allzu fixiertes Bild machen.

*„Leben, einzeln
und frei
wie ein Baum
und brüderlich
wie ein Wald,
das ist unsere
Sehnsucht!“*
(Nazim Hikmet)

Tipp

Begrüßen und genießen Sie, was Gott und das Leben mit Ihnen und durch Sie noch vorhaben.

Liebe

Es gibt viele „richtige“ Arten von Liebe. Doch wenn es Sie nicht beflügelt und begeistert, ist es keine Liebe.

Glück

Eine entwickelte Persönlichkeit geht über jedes Vorbild hinaus. Der Engel hilft Ihnen, die nötige Offenheit zu bewahren und sich möglichst unmittelbar zu erleben.

Erfolg

Das Streben nach Wunscherfüllung weckt und unterstützt auch den Brückenbauer und den Meister der Zwischenschritte in Ihnen.

IV. Der Engel der Zufriedenheit

Hilfe durch Vorurteilslosigkeit

„Bei Gott ist kein Ding unmöglich"

Dieser Engel hilft uns,

selbst schlimme Enttäuschungen zu verarbeiten und in einen Nutzen oder einen Segen zu verwandeln. Er lehrt uns, den Weg des Herzens, der geläuterten Liebe zu beschreiten. Ohne Lauterkeit und Hingabe an die Wahrheit bleibt alles Suchen vergeblich. Es gibt auch ein spirituelles Eingebildetsein, das nicht minder sinnlos ist als jede andere Art der Eitelkeit.

In diesem Sinne ist er auch ein Engel des bewussten Dienens und der Sanftheit, selbst bei großen Herausforderungen.

Stichworte: Positive Schicksalswende, Kraft, Geschick, außergewöhnliche Anstrengungen.

Warnung: vor Gewalt, Schwäche, Blindheit, Kleinlichkeit.

Der Engel der Zufriedenheit hilft denen, die ihn anrufen, weiter „dran zu bleiben" – und nicht zu früh aufzugeben!

Was dieser Engel bewirkt

Er schenkt uns eine schöne, zuverlässige Furchtlosigkeit. Im Namen der Liebe bekämpft er Vorwände und Vorurteile. Er gibt uns die Möglichkeit, neue Wahrheiten zu verstehen und willkommen zu heißen.

Er ist einer der Engel für alle Notfälle. Durch seine hingebungsvolle Geduld erkennt er günstige Gelegenheiten und nutzt sie besser als jeder andere.

Dieser Engel der Zufriedenheit vermittelt außerdem die Erfahrung von *Heimat* und Ankunft: Wo Sie Heimat haben, können Sie sich fallen lassen, das heißt sich so geben und ganz so sein, *wie Sie sind.* Und wo Sie sich in diesem Sinne fallen lassen, da *schaffen* Sie sich Heimat.

Heimat – das ist auch ein Energiezustand, eine besondere Lebensqualität, die möglicherweise nicht nur an einen Ort und an wenige Menschen gebunden, sondern an vielen Orten und in vielen Zusammenhängen erfahrbar sind!

„Gottes Mühlen
mahlen langsam,
aber
sie mahlen
– und
ganz anders
als man denkt.“
(Friesisches Sprichwort)

Tipp

Die Lösung eines Problems liegt oft in der richtigen Auswahl, sowohl in der Liebe als auch im Beruf: In der Auswahl, was man tut, wie und mit wem man es macht ...

♥ Liebe

Der entscheidende Punkt ist, dass Sie nicht zu früh aufgeben!

♣ Glück

Unvoreingenommen zu sein, selbst Erfahrungen zu sammeln und danach zu urteilen – das erfordert Geduld, aber es bringt Glück.

➚ Erfolg

Überall dort finden Sie Ihr Zuhause, wo Sie „hundert Blumen“ blühen lassen und wo Sie vielfältige Neigungen und Ziele miteinander verbinden können.

V. Der Engel des Glaubens

Hilfe durch Mut

„Prüfungen führen auf neue Lebensstufen“

Dieser Engel hilft uns,

im Licht und bei Sinnen zu bleiben, so hart die Zeiten auch sein mögen. Er kann in Zeiten der Not und der schweren Prüfungen gerufen werden.

So ist er auch ein Engel der Unschuld und Reinheit – des Muts und der Kraft der Seele.

Stichworte: Arbeit, Aktivität, Aktionen. Moralische Kraft, Überwindung von Gefahr und Bedrohung.

Warnung: vor Überheblichkeit, Aberglauben, Missgunst, eingebildeter Krankheit oder Hilflosigkeit.

Der Engel des Glaubens hilft denen, die ihn anrufen, mit der Gabe der Inspiration – der Begeisterung für Neues und Unerforschtes.

Was dieser Engel bewirkt

Grundsätzlich ist er ein Engel der Lebenslust und der Lebensfreude. Sein Heilmittel ist die Lebendigkeit. Alles, was die Lebendigkeit fördert, wird von ihm unterstützt. Der Engel des Glaubens begleitet Sie besonders zu Lebenszielen, deren Verwirklichung lange Zeiträume erfordern.

Ein „vernünftiger Glaube“ setzt möglichst alles verfügbare Wissen ein und gipfelt in einem bewussten *Lebensentwurf* und dessen Umsetzung.

Der Glaube kann und soll eben kein Ersatz für Wissen und Bewusstsein sein. „Vernunft sei überall zugegen, / Wo Leben sich des Lebens freut. / Dann ist Vergangenheit beständig, / Das Künftige voraus lebendig, / Der Augenblick ist Ewigkeit“ (Goethe, „Vermächtnis“). Und auch, wo Leben sich des Lebens ängstigt, sei in diesem Sinne Vernunft „überall zugegen“. Das ist das Geschenk dieses Engels.

„Wenn du glaubst, dass ich um meiner selbst willen traurig bin, dann hast du recht. Ich mag Menschen mit diesem speziellen Gefühl besonders gern. (...) Solange du nicht um deiner selbst willen umfassend traurig gewesen bist, weißt du nicht, dass du ein menschliches Wesen bist.“ (Jill Johnston)

Tipp

Ein bewusster Glaube stärkt Ihnen den Rücken, führt Sie in neue Horizonte und Dimensionen.

Liebe

Dieser Engel gibt uns Träume und die Kraft, diese auch zu verwirklichen. Er eröffnet einen größeren Spielraum und befreit von Zwängen. Es ist wichtig, die damit errungene Freiheit gut anzuwenden.

Glück

Dieser Engel schenkt Ihnen die Kraft, Ihre Träume – Ihre großen Lebensträume – für sich zu benennen und ihnen immer erfolgreicher nachzugehen.

Erfolg

Wenn Sie mit dem Engel des Glaubens in Verbindung stehen, fällt es Ihnen leicht, mit allen Lebewesen in Kontakt zu treten.

VI. Der Engel der Liebe

Hilfe durch bewusstes Dasein

„Gib der Liebe eine Chance“

Dieser Engel hilft uns,

die Naturgewalten und die Macht des Schicksals zu verstehen. Er schützt vor Unfällen und vor ungebührlichen Härten. Durch diesen Engel erfährt man in schweren Zeiten eine besondere Unterstützung und ist zu besonderen Hilfeleistungen fähig.

So ist er auch ein Engel des Schutzes gegen Krankheit und Feuer. Außerdem ist er für die Langlebigkeit zuständig.

Stichworte: Bewusstheit als bewusstes Sein, Anstrengung, Gewandtheit, Selbständigkeit, Souveränität, Unabhängigkeit, Selbstvertrauen.

Warnung: vor Hochnäsigkeit, Geschwätzigkeit, schlechten Motiven.

Der Engel der Liebe hilft denen, die ihn anrufen, ihre Konflikte zu lösen. Menschen, die mit ihm in Verbindung stehen, lindern in aller Regel menschliches Leid durch ihre bloße Anwesenheit, auch wenn sie sich dessen selbst nicht bewusst sind.

Was dieser Engel bewirkt

Er heilt und hilft einfach durch seine Präsenz, mit der er still, unaufdringlich, doch unmissverständlich auf die Liebe, auf Gottes Gnade und unsere Wahl, diese anzunehmen oder nicht, hinweist.

Gottes Schutz ist nun einmal am mächtigsten, wenn wir lieben. Dieser Engel unterstützt Sie darin, der Liebe jedes Mal eine neue Chance zu geben: der Liebe zu sich selbst, zu den Mitmenschen, zur Welt, wie sie ist, und zur Welt, wie sie sein könnte. Am wirkungsvollsten ist der Schutz dieses Engels jedoch, wenn man selbst mit der Liebe beginnt, wo bisher noch keine war.

„Es ist
Unsinn
sagt
die Vernunft
Es ist
was es ist sagt
die Liebe“
(Erich Fried)

Tipp

Dieser Engel steuert die kosmische Energie. Mit ihm werden Sie eine magische Zeit erleben.

 Liebe

Wenn wir lieben, sind wir nicht nur besonders verletzbar – wir sind auch besonders stark, und der energetische Schutz ist besonders mächtig. Gehen Sie behutsam mit diesen Möglichkeiten um, und starten Sie jetzt!

 Glück

Es ist an der Zeit, Ihrer Intuition, die Sie zu den richtigen Lösungen führen wird, mehr Raum zu lassen.

Erfolg

Schützen Sie sich vor Worten und Taten, die sich gut anhören, jedoch zu schlechten Zwecken eingesetzt werden. Was die Herzen bewegt und ehrlich ist, ist der höchste Trumpf!

VII. Der Engel des Triumphs

Hilfe durch Anteilnahme

„Alles Leben ist erstaunlich"

Dieser Engel hilft uns,

am Leben überall im Kosmos Anteil zu nehmen. Himmel und Erde, Welt und Unterwelt, Nachbarschaftliches und Internationales – nichts bleibt uns mit seiner Hilfe fremd.

So ist er auch ein Engel des Mitgefühls. Er steht für große Gnade und für Verständigung und Versöhnung unter den Menschen. Er schützt auch vor dunklen Ahnungen und befreit von Albträumen.

Stichworte: Innere Harmonie, Zufriedenheit, Glück in zwischenmenschlichen Beziehungen.

Warnung: vor Ärger, Flucht, Täuschung durch Selbstbezogenheit.

Der Engel der Triumphs hilft denen, die ihn anrufen, gute und wegweisende Entscheidungen zu treffen und sich geschickt an vielen Plätzen dieser Erde zu bewegen. Er ist ein Führer der Seelen und geleitet sie zu den richtigen Zielen.

Was dieser Engel bewirkt

Dieser Engel macht uns das Leben erträglicher, vor allem aber interessanter und wunderbar im wörtlichen Sinne. Er ermöglicht uns, die Gesetze des Kosmos zu verstehen.

Er steht auch für Mitgefühl – für Liebe und Kritik: Es ist nicht angebracht, bei der Beurteilung der anderen zu hart oder zu weich zu sein.

Dieser Engel unterstützt Sie speziell darin, mit anderen gemeinsam erfolgreiche Projekte zu starten. Seine Macht besteht darin, uns auf die Wunder schauen zu lassen, die in jedem Menschen, jeder Sache und jedem Ereignis verborgen sind und sich entfalten könnten. So schützt er durch kluge Einsichten vor unliebsamen Überraschungen und gewinnt eine besondere Kraft, weil er schlummernde Potenziale erkennt.

„Wenn
die Pforten
der Wahrnehmung
gereinigt werden,
wird dem Menschen
alles erscheinen,
so wie es ist
– unendlich."
(William Blake)

Tipp

Auch wenn Sie sich alt und abgeklärt fühlen, hüten Sie sich vor blindem Eifer und vor illusorischer Begeisterung.
Trauen Sie dem Glück der Stunde und engagieren Sie sich für Zwecke, die für viele etwas produktiv Neues bringen.

♥ Liebe

Haben Sie sich heute schon über sich und/oder Ihren Partner gewundert?

♣ Glück

Der richtige Gedanke zur richtigen Zeit kann Wunder erkennen und Wunder wirken.

➚ Erfolg

Mit der Kraft dieses Engels werden Sie etwas Sinnvolles schaffen, das vielen Menschen Freude macht.

VIII. Der Engel der Gerechtigkeit

Hilfe durch Liebe und Vernunft

„Deine Zufriedenheit wachse mit jedem Tag“

Dieser Engel hilft uns,

in kreativen Berufen und in komplizierteren (nicht-) alltäglichen Entscheidungen erfolgreich zu sein. Seine Geschenke sind vor allem ein klarer Verstand, schnelle Auffassungsgabe, Schlagfertigkeit sowie Redegewandtheit. Auf eine ruhige und bestimmte Art knüpft er ein inneres Band zwischen dem Menschen und seinem göttlichen Ursprung.

So ist er auch ein Engel der Meditation, der inneren Einkehr und des Erfolgs in einer Kur oder Therapie.

Stichworte: Begeisterung, Geschicklichkeit, Einsicht, Schnelligkeit, Esprit.

Warnung: vor Naivität, Unvorsichtigkeit, Übertreibung, Mangel an Einsicht.

Der Engel der Gerechtigkeit hilft denen, die ihn anrufen, ihr Liebesleben lebendig zu halten, neue Freundschaften zu knüpfen, anderen einen Gefallen zu tun und jemanden um einen Gefallen zu bitten.

Was dieser Engel bewirkt

Dass besonders dieser Engel das Liebesleben vitalisiert und „prickelnd“ macht, erscheint manchem als Überraschung. Doch „Gerechtigkeit“ ist seit der Antike eine *Kardinaltugend*: die Kunst, die wahren Bedürfnisse zu ermitteln. „Gerechtigkeit“ ist hier kein abstraktes Prinzip, sondern die praktische Frage danach, wie wir den vorhandenen Wünschen und Ressourcen Genugtuung und Befriedigung verschaffen.

Dieser Engel unterstützt uns darin, uns die wahren Bedürfnisse aller Beteiligten klarzumachen. In Ihren aktuellen Fragen kommt es darauf an, auf der richtigen Frequenz zu funken und zu empfangen. Es hängt nicht nur viel von Ihrer Feinfühligkeit und Ihrem diplomatischen Geschick ab. Richten Sie in Ihren aktuellen Auseinandersetzungen vor allem den Blick aufs Wesentliche: Wo ist der Schnittpunkt der jeweiligen Interessen? Was wollen Sie erreichen?

„Liebe Gott und tu, was du willst.“

(Augustinus)

Tipp

Mit diesem Engel verfügen Sie über ein ausgezeichnetes Gedächtnis und es fällt Ihnen leicht, alles Logische zu begreifen.

 Liebe

Verliebtsein und Vernunft schließen einander nicht aus – im Gegenteil: Vernunft wird durch Liebe sinnlich und Liebe wird durch Vernunft sinnvoll.

Glück

Bauen Sie auf den unermesslichen Wert des Friedens – auch und gerade inmitten großer Bewegung und äußerer Veränderung.

Erfolg

Dieser Engel unterstützt Sie, speziell auch in Ihren Projekten, die wahren Bedürfnisse aller Beteiligten zu erkennen. Das bedeutet: mehr Untersuchung als üblich – und mehr Erfolg als üblich!

IX. Der Engel der Heilung

Hilfe durch Realismus

„Heilung ist eine reale Chance"

Dieser Engel hilft uns,

Probleme zu erkennen, zu benennen und zu lösen. Er stärkt unseren schöpferischen Geist und repräsentiert eine große himmlische Energie. Er kennt alle Taten der Menschen, die im Buch des Lebens stehen.

So ist er auch ein Engel, der sich um jene kümmert, die in Vergessenheit geraten sind oder zu geraten drohen. Er gilt auch als Lehrer und Beschützer jener Kinder, die früh gestorben sind.

Stichworte: Aufbruch und Ankunft. Stunde der Wahrheit. Schöpferische Weisheit.

Warnung: vor Trägheit, Schläfrigkeit, Langeweile, Faulheit.

Der Engel der Heilung hilft denen, die ihn anrufen, mit Geduld und Liebe zum Detail Vorgänge und Abläufe genau zu betrachten. Er schützt uns vor voreiligen Bewertungen und hilft uns, unsere Einsichten zu vertiefen.

Was dieser Engel bewirkt

Manche nennen diesen Engel auch den Engel der Vorsehung. Aber das Wort „Vorsehung" könnte auch missverstanden werden, so als sei alle Zukunft schon festgelegt oder als brauche man selbst nichts zu tun und nur auf einen Retter in der Not zu warten.

Dieser Engel unterstützt uns darin, Probleme zu erkennen und zu lösen. Darum wird er hier *der Engel der Heilung* genannt. Er hilft uns Menschen, zur richtigen Zeit Probleme zu beheben, Hilfe anzunehmen und unsere Aufgaben zu erledigen, ohne etwas unter den Teppich zu kehren.

Mit dieser Wachheit und Achtsamkeit hilft er uns auch in Notsituationen. Das wirkt dann mitunter wie ein Wunder – und es *ist* wunderbar, doch es ist auch ein Erfolg der eigenen Bemühungen. Nur im Zusammenwirken von Mensch und Gott (im Wirken von Menschen, die offen sind für „Gott") gelingen eine gedeihliche Weiterentwicklung der Schöpfung und die Heilung alter und neuer Nöte.

„Die Menschen
wissen nicht,
wie nahe
die Wahrheit ist;
sie suchen
in der Ferne
– wie traurig!
Sie gleichen einem
Manne,
der mitten
im Wasser steht
und vor Durst
jämmerlich schreit.“
(Hakuin)

Tipp

Dieser Engel bedeutet großes Glück und schenkt Ihnen das Gefühl des Einklangs mit allen Dingen. Wenn Sie etwas daran hindert, die Harmonie zu genießen, so fordert diese Karte Sie auf, diese Hindernisse zu ergründen – und zu überwinden.

 Liebe

Begraben Sie falschen Stolz und falsche Bescheidenheit.

 Glück

Gönnen Sie sich ein Extra!

 Erfolg

Die Zeit ist günstig für einen schönen Erfolg.

X. Der Engel des Glücks

Hilfe durch Einsicht und Verständnis

„Genieße deine Talente!"

Dieser Engel hilft uns,

uns einen eigenen Reim auf die Rätsel des Lebens zu machen. Er schenkt uns die Weisheit, die aus Lebenserfahrung, genutzten Chancen und erkannten Talenten entsteht. Er hilft uns zu unterscheiden, was wir wissen müssen und was nicht. Er befreit uns vom Ballast unnötiger Informationen, von Ahnungslosigkeit und von geistiger Überfrachtung.

So ist er auch ein Engel des Glücks und der Lebensfreude.

Stichworte: „Glück ist keine Glückssache" (Evelin Bürger / Johannes Fiebig)

Warnung: vor Unfähigkeit, Arroganz, niederen Motiven und dem „Teufel im Detail".

Der Engel des Glücks hilft denen, die ihn anrufen, den richtigen Zeitpunkt zu erkennen und Glücksmomente zu wahrzunehmen. Er verleiht uns die nötige Weisheit, um Probleme zu lösen und Freude an unserem Tun zu verspüren. So schützt er auch vor schädlichen Energien und befreit uns von unproduktiven oder langweiligen Gewohnheiten.

Was dieser Engel bewirkt

Glück bedeutet, dass uns etwas glückt, also dauerhaft gelingt – weil der eigene Wille und der „Wille" des Schicksals übereinstimmen. „Glück ist Talent für das Schicksal" hat Novalis, der Dichter der Romantik, einmal gesagt und damit diesen Zusammenhang genau beschrieben. Glück ist nicht selbstverständlich, und so ist es nicht immer leicht zu verstehen, was gut für unser Glück ist. Glück will gefunden und erkannt werden.

Ziehen Sie eine Summe aus allen zugänglichen Erfahrungen und konzentrieren Sie sich dabei auf Ihre wesentlichen Wünsche und Ängste. Jedes Leben besteht aus vielen Bruchstücken und Einzelteilen. Sie entscheiden, wo der rote Faden dazwischen verläuft. Das „Talent für das Schicksal" besteht gerade darin, aus vielen Mosaiksteinchen ein Bild und aus vielen Stückchen ein großes Puzzle zusammenzusetzen. Darin unterstützt uns dieser Engel.

„Der Einfall
liebt
den Zufall,
dieser wiederum
den Einfall."
(Aristoteles)

Tipp

Man kann vieles im Leben erreichen und doch an sich selbst vorbei gehen. Und umgekehrt: manches mag scheitern und doch bleiben wir gerade darin uns, unseren Zielen und Werten, treu. Genau das zählt jetzt für Sie!

♥ Liebe

Dieser Engel hilft Ihnen, die Unterschiede zwischen zwei Partnern zu akzeptieren und als erotisierende Spannung kreativ zu gestalten.

♣ Glück

„Glück ist Talent für das Schicksal" und dieser Engel hilft Ihnen, mit Geschick Wunsch und Wirklichkeit zu sortieren und zu verbinden.

➚ Erfolg

Erfolg beginnt mit Dankbarkeit.

XI. Der Engel der Tugend

Hilfe durch Willensfreiheit

„Tatsachen sind eine Sache der Tat"

Dieser Engel hilft uns,

Notlagen zu überwinden. Er ist ein Engel des Willens und der Energiearbeit. Seine Stärke besteht darin, aus der Not eine Tugend zu machen.

So ist er auch ein Engel des Schutzes und des Segens, der uns durch Phasen der Anspannung oder durch Wartezeiten hindurch begleitet.

Stichworte: Notwendigkeiten, Hilfe in der Not, die Not zur Tugend machen.

Warnung: vor unbedachten Schwierigkeiten, widrigen Umständen, Stillstand und Sackgassen. *Der Engel der Tugend* hilft denen, die ihn anrufen, die nötige Willenskraft aufzubringen, um jede Form von Sucht und falschem Eifer zu überwinden. Er erfüllt die innere Leere, indem er uns die richtigen Fragen schenkt, und er befreit uns aus Abhängigkeiten, indem er uns auf unsere Ziele ausrichtet.

Was dieser Engel bewirkt

Wir leben oft mit Alternativen, die *schlechte Lösungen* darstellen. Manche Probleme lassen sich nicht vermeiden. Doch sie sind schlechte Alternativen und führen im Grunde in eine Notlage, eine Notlösung. Mit der Kraft dieses Engels befreien wir uns aus diesen Notsituationen. *Der Engel der Tugend* steht für die Aufhebung entsprechender Nöte – für Entscheidungen, die uns fordern und auch neuen Mut verleihen. Er fordert und fördert unseren ungeteilten Einsatz und damit die schöpferische Weiterentwicklung unseres Potentials.

Setzen Sie also all Ihre Kraft ein, folgen Sie dem, was Sie innerlich bewegt. Aktivieren Sie Ihren Willen und engagieren Sie sich. Sie brauchen Auseinandersetzungen nicht zu fürchten, begrüßen Sie sie vielmehr als Gelegenheiten, in denen Sie stille Reserven zum Leben erwecken. Ihre wichtigsten „Waffen" sind Herz und Verstand. „Versuch macht klug" und die geschickte Verarbeitung von Erfahrung, die gekonnte Auswahl von Zielen und Zwischenschritten erlaubt es Ihnen, sich Stück für Stück aus einer Zwickmühle zu befreien und frische Luft zu atmen.

„Der Zweck der Erleuchtung besteht darin, mit ungetrübten Augen auf alles Dunkle zu schauen.“
(Nikos Katzantsakis)

Tipp

Dieser Engel bringt das Gute ans Licht, das in jedem von uns steckt. Er fördert unsere Tugenden und Begabungen – nutzen Sie sie.

Liebe

Lassen Sie sich nicht drängen oder provozieren, und verzichten Sie darauf, andere, insbesondere Ihren Partner, unter Druck zu setzen.

Glück

„Hilf dir selbst, dann hilft dir Gott!“ Gott ist gnädig – aber keine Entschuldigung für persönliche Faulheit.

Erfolg

Berechtigte Einwände sollten Sie genau untersuchen. Hinterfragen Sie scheinbare Selbstverständlichkeiten. Es wird sich für Sie lohnen.

XII. Der Engel der Visionen

Hilfe durch persönliches Wachstum

„Mache mehr daraus"

Dieser Engel hilft uns,

Misserfolge zu verarbeiten und neue Ziele zu erkennen. Er lehrt uns, bescheiden zu sein und – große Entwürfe zu wagen. Er verleiht uns die Kraft, zu tun, was wir wollen, und zu wollen, was wir tun. So ist er auch ein Engel des Schutzes für Übergangsphasen und für die Klärung von Zielen und Wünschen. Er verbessert das Sehvermögen.

Stichworte: Energie, Unternehmungsgeist, Arbeit, Lernen, Reifen, Lebenswerk.

Warnung: vor Fantasielosigkeit, Sprödigkeit, fehlendem oder falschem Eifer. Der Engel der Visionen hilft Menschen, die Veränderungen in ihrem Leben brauchen, außerdem denjenigen, die ihre Intuition stärken möchten. Daneben hilft er bei Prüfungen jeder Art.

Was dieser Engel bewirkt

Dieser Engel kümmert sich darum, dass wir als Person innerlich zusammenwachsen. Wunsch und Wirklichkeit, Wille und Tat, Denken und Handeln, lässt er zu einer Einheit verschmelzen. Dadurch schrumpfen die Mühen und der Erfolg steigt. Denn unsere Energien unterstützen sich jetzt gegenseitig. So kommt es, dass dieser Engel uns auch in Kontakt mit tieferen Schichten und höheren Wirklichkeiten unseres Lebens in Verbindung bringt. Träume, Phantasien, spielerische Intuitionen und überraschende Einfälle sind deshalb besonders zu beachten. Letztlich besteht die Kraft dieses Engels darin, dass wir uns über unsere Leidenschaften klarer werden. Es gibt unselige Leidenschaften, die uns quälen und verzehren, Besessenheiten, die uns in die Irre führen und unsere Lebenskraft verschleudern. Produktive Leidenschaften erhöhen und vermehren unsere Lebensfreude. Sie erhöhen unser Energiepotential und machen unser Leben dichter, reicher, schöner und zufriedener. „Liebe deinen Nächsten wie dich selbst" – mit diesem Motto als Maßstab lassen sich auch ungesunde von produktiven Leidenschaften unterscheiden. Diesen Unterschied zu wagen, erlaubt uns dieser Engel: Durch die Unterstützung sinnvoller Leidenschaften verleiht er uns buchstäblich Flügel!

„Ich kann
meine Träume
nicht fristlos
entlassen,
ich schulde
ihnen
noch
mein Leben."
(Friederike Frey)

Tipp

Kümmern Sie sich um Ihre Ziele und wirklichen Wünsche – und lassen Sie allen Kummer los.

❤ Liebe

Liebe ist nicht nur ein Gefühl, sondern ein Energiezustand. Lieben heißt, wacher sein, mehr erfahren und besser wahrnehmen.

♣ Glück

Gehen Sie voller Zuversicht voran. Ihre Träume zeigen Ihnen, was Sie meiden müssen und wie es weiter geht.

➚ Erfolg

Dieser Engel schenkt Ihnen die Kraft zu lernen und Neues zu verstehen. Dieses Wachstum führt Sie zum Erfolg.

XIII. Der Engel der Vorsicht

Hilfe durch Achtsamkeit

„Ich schaue genau hin"

Dieser Engel hilft uns,

mutig und vorsichtig voranzugehen. Sie brauchen keine Angst zu haben, risikoreiche Aufgaben und Unternehmungen durchzuführen. Auch in Phasen persönlicher Belastung verleiht er uns die Kraft, genau zu sondieren und Schritt für Schritt unsere Entscheidungen zu treffen.

So ist er auch ein Engel des Schutzes, der denjenigen hilft, die um Unterstützung, Kraft und finanziellen Erfolg bitten.

Stichworte: Fähigkeit zu Reue und Umkehr, Umsicht, wahre Spiritualität, Lebensreife.

Warnung: vor Verdrängung, Unreife, fehlendem Vertrauten zu Gott und der Welt.

Der Engel der Vorsicht hilft denen, die ihn anrufen, auch unter großen Schwierigkeiten die Hoffnung nicht zu verlieren, im Dunkeln ein neues Licht zu entdecken und selbst in Feuerproben einen kühlen Kopf zu behalten.

Was dieser Engel bewirkt

Dieser Engel macht uns klar: „Gott" (jene guten Kräfte des Lebens, die in jedem Menschen wirken und die größer sind als jeder einzelne Mensch) lässt uns auch bei Schwierigkeiten nicht allein und begleitet uns durch Tod und Wiedergeburt. Bei Licht betrachtet führt es zu einer bewussteren und tieferen, ja gesteigerten Lebendigkeit, wenn man sich seines Pulsschlages und der eigenen Zeitlichkeit bewusst wird. Doch es liegt in der Natur der Sache, dass der Gedanke an den Tod und an Abschied oftmals weniger als eine Steigerung der Lebendigkeit empfunden wird, sondern vielmehr als eine Lähmung.

In diesem Punkt jedoch legt dieser Engel eine andere Betrachtungsweise nahe: „Was man nicht vermeiden kann, muss man betonen". Er steht dafür, den Tod nicht zu verdrängen.

Sein Rat lautet, bewusster zu leben und bewusster die Früchte des Daseins zu genießen. Nichts geht verloren, alles bleibt bestehen, was im Bewusstsein der Menschen einen Platz gefunden hat.

„Und solang du
das nicht hast,
Dieses: Stirb
und werde!
Bist du nur
ein trüber Gast
Auf der
dunklen Erde.“
(J. W. v. Goethe)

Tipp

Jeder Mensch besitzt ein einmaliges Leben. Was wollen Sie daraus machen? Was wollen Sie ernten?

♥ Liebe

Das Leben ist zu kurz, um sich an Lieblosigkeiten lange aufzuhalten.

♣ Glück

Lösen Sie sich von Energien, Einstellungen und Situationen, die Sie unglücklich machen.

➚ Erfolg

Betroffenheit, Umsicht und neue Liebe (Liebe zur Sache, Liebe zu neuen Entscheidungen usw.) bringen reiche Früchte.

XIV. Der Engel der Läuterung

Hilfe durch Bewährung

„Mit der Einsicht wächst die Reichweite“

Dieser Engel hilft uns,

große Unternehmungen zum Erfolg zu führen. Er verleiht uns die nötige Energie, um Widrigkeiten nicht nur zu bestehen, sondern die darin verwickelten Kräfte zu verstehen und die Spreu vom Weizen zu trennen. Dieser Engel führt uns auf ein neues Lebensniveau, auf dem sich Heilung, Ganzheit und existenzielle Betroffenheit verbinden. So ist er auch ein Engel des Schutzes in Krisen, der Sicherheit in Prüfungen und der Geradlinigkeit in Bewährungsproben.

Stichworte: Geschick, Annahme und Aufhebung von Widerständen, Flexibilität.

Warnung: vor Missgeschick, dem falschen Zeitpunkt, Ungeschick. *Der Engel der Läuterung* hilft denen, die ihn anrufen, den wahren Willen zu erkennen. So bleiben wir dem, was uns wirklich wichtig ist, treu, auch wenn sich vieles wandelt. Mit dieser Kraft gelingt es im übrigen auch, geliebte Menschen und Freunde wieder zu finden, alte Wunden zu heilen und zu verloren gegangenen Träumen und Wünschen zurückzukehren.

Was dieser Engel bewirkt

Dieser Engel steht für den eigenen Weg. Er hilft uns dabei, Holzwege zu vermeiden, von Irrwegen abzukehren und Labyrinthe hinter uns zu lassen. Wie ein Goldgräber große Mengen Sand und Wasser durch ein Sieb schleust, um kleinere oder größere Goldstückchen zu finden, so hilft uns dieser Engel bei der Sortierung unserer Möglichkeiten.

Je mehr wir also die Widersprüche unseres Lebens annehmen und bearbeiten, umso mehr löst sich der anfängliche Gegensatz zwischen Wunsch und Wirklichkeit, zwischen dem eigenen Willen und der Realität der vorhandenen Fakten auf und es entsteht ein gangbarer eigener Weg. Der Schlüssel zu der Gnade und der Kraft dieses Engels besteht darin, dass wir unsere Wünsche und Ängste akzeptieren und filtern: Welche Wünsche sind geeignet und welche führen uns in die Irre? Welche Ängste sind berechtigt und welche nicht?

„stark sein
ohne hart zu sein
ist nicht nur kunst
das ist AKROBATIK“
(Roswitha Schneider)

Tipp

Achten Sie auf den richtigen Zeitpunkt! Eile und Gedankenlosigkeit würden Sie in eine Falle führen.

Liebe

Liebe schafft einen Raum, in dem jeder Partner weiter wachsen kann. Natürlich wächst nicht jeder Partner im gleichen Tempo. Doch auch an solchen Unterschieden kann die Liebe weiter wachsen.

Glück

„Das Glück besteht darin, zu leben wie alle Welt und doch wie kein anderer zu sein“ (Simone de Beauvoir).

Erfolg

Gehen Sie offen mit den Themen der Läuterung um. Dann sind Sie unternehmungslustig, energisch und wortgewandt, und der Erfolg begleitet Sie.

XV. Der Engel der Grenzerfahrung

Hilfe durch Umkehr

„Bringe Licht ins Dunkel"

Dieser Engel hilft uns,

notwendige Grenzen zu akzeptieren und unnötige Grenzen zu überwinden. Mit seiner Hilfe kann man alle Sprachen verstehen; auch die Eigenarten eines jeden Menschen. Dieser Engel besänftigt die Herzen derer, die in Aufruhr sind. Trauernden spendet er Trost und für Künstler und Suchende ist er wie eine inspirierende Muse. So ist er auch ein Engel des Friedens, der Liebe und der vertieften Freude.

Stichworte: Tabus und Grenzen neu definieren, neue Lösungen, ungeahnte Auswege.

Warnung: vor ständiger Veränderung, Unbeständigkeit, Launenhaftigkeit.

Der Engel der Grenzerfahrung hilft denen, die ihn anrufen, jede Art von Besitz (materielles wie geistiges Eigentum) gerecht zu verteilen. Er hilft auch zu Unrecht Angegriffenen, sich zu verteidigen und zu schützen.

Was dieser Engel bewirkt

Dieser Engel vermittelt uns das Glück, an Grenzerfahrungen zu wachsen. Jeder Mensch begegnet Begrenzungen und Tabus. Die Einschränkungen, die wir dabei in der Welt draußen antreffen, spiegeln (nicht immer, aber sehr oft) in der einen oder anderen Weise Grenzen und Tabus in unserem Inneren. Wichtig ist es, in dieser Situation nicht den Kopf in den Sand zu stecken, sondern ihn zu erheben! „Wichtig ist es, für seine Träume einige Kämpfe zu bestehen – nicht als Opfer, sondern als Abenteurer" (Paul Coelho). Als Kind haben wir Spaß daran gefunden, Grenzen zu akzeptieren und zu überwinden. Die Kindheit bot uns Schutz vor den Anforderungen des Erwachsenenlebens, und gleichzeitig reizte es uns auch, diese Grenze zu überqueren. Aber auch als Erwachsene, wenn wir die Kindheit schon lange hinter uns gelassen haben, brauchen wir beide Freuden immer wieder: Wir müssen Grenzen ziehen, die uns schützen und behüten, und andererseits Begrenzungen, die zu eng geworden sind, aufsprengen. Bei dieser wichtigen und schönen Doppelaufgabe hilft uns dieser Engel.

„Man muss
das Unmögliche
berühren,
um
aus dem Traum
herauszukommen.
Im Traum
gibt es keine
Unmöglichkeit.
Nur
Unvermögen."
(Simone Weil)

Tipp

Fehlende Tabus müssen endlich eingerichtet und überflüssige Tabus allmählich abgeschafft werden. Tun Sie es!

 Liebe

Dieser Engel schürt mitunter die Leidenschaft zwischen den Geschlechtern und stellt die eheliche Treue auf die Probe. Doch sein Ziel ist die Vertiefung und die Festigung der Liebe.

 Glück

Ein wichtiges Treffen könnte sich als Enttäuschung herausstellen, solange Sie nach alten Prinzipien handeln.

Erfolg

Dieser Engel schenkt Ihnen die Gabe, Konflikte zu schlichten und zugleich bestehende Probleme offen anzusprechen.

XVI. Der persönliche Schutzengel

Hilfe durch bewussten Wandel

„Lerne, den Tiger zu reiten"

Dieser Engel hilft uns,

Unternehmungen und Planungen erfolgreich zu gestalten. Sein Prinzip ist die helfende Hand. Dieser Engel fördert Geschäfte und Gewinne jeder Art. Er sorgt auch dafür, dass wir andere an unserem Reichtum und Wohlstand Teil haben lassen. Er ist im besonderen Maße ein Engel des Schutzes, des Wohlstands und des Wohlbehagens, der sprichwörtliche Schutzengel!

Stichworte: Geschenke, Gaben, Belohnung, Wohlbefinden, Wachsamkeit.

Warnung: vor Ehrgeiz, Missgunst, Neid, Kleinmut.

Der Schutzengel hilft – ob wir ihn anrufen oder nicht! Wenn wir seine Energien bewusst wahrnehmen, erfahren wir tiefe Ruhe und inneren Frieden.

Was dieser Engel bewirkt

Der Schutzengel lässt uns wach, offenen Auges und mit bewusstem Verstand durch das Leben gehen. Er bewahrt uns vor Schrecken, gerade weil wir nicht die Augen davor verschließen. Und er zeigt uns unsere Chancen, gerade weil wir auf die eigene Kraft vertrauen.

Für viele Menschen stellt sich Ruhe nur durch Betäubung ein. Und Wachheit ist umgekehrt mit Hektik oder Stress verknüpft. Dieser Engel befreit uns aus diesen schlechten Alternativen. Sein Geheimnis: Er lehrt uns, die eigene Mitte zu finden, auf den Schwerpunkt zu achten. Dann können wir immer wieder über uns hinauswachsen, ohne uns selbst zu verlieren. Wir können uns über Einwände und Vorwände hinwegsetzen, und die wahren Werte kristallisieren sich immer deutlicher heraus.

So bietet dieser Engel nicht nur Schutz, sondern auch ein Energiepotential an, das mit zunehmender Lebenserfahrung und zunehmendem Alter sogar noch wachsen kann! Ihr Schutzengel ermuntert Sie, gelassen zu bleiben, sich auf Gott und das, was wirklich wichtig im Leben ist, zu besinnen!

„... und jedem Wandel wohnt ein Zauber inne, der uns beschützt und der uns hilft zu leben."

(frei nach Hermann Hesse)

Tipp

„Fahr nie schneller als dein Schutzengel fliegen kann!" (Motto des Hamburger Motorrad-Gottesdienstes)

 Liebe

Äußern Sie Ihre Bedürfnisse und haben Sie ein offenes Ohr für die Bedürfnisse anderer. Achtung: Denken Sie nicht, Sie wüssten schon alles darüber!

 Glück

Geteiltes Leid ist halbes Leid und geteiltes Glück ist doppeltes Glück. Ein guter Wind treibt Sie voran.

Erfolg

Gehen Sie aufs Ganze! Mit aufmerksamer Präsenz und Achtsamkeit!

XVII. Der Engel der Zuversicht

Hilfe durch gute Gründe

„Wahrheit macht mich stark"

Dieser Engel hilft uns,

neue Freude zu erfahren und neue Freunde zu gewinnen. Er geleitet uns durch Phasen der Prüfung und durch Geduldsproben und hilft uns, auch in Schwierigkeiten die Freude nie ganz zu verlieren. Denn dieser Engel führt uns auf „Wolke 7", auf die Höhen der Glückseligkeit und der Freiheit. Das Wissen darum, dass wir dieses Glück und diesen Frieden erlebt haben und auch wieder erleben werden, ist das Geheimnis dieses Engels.

Stichworte: Schönheit, Hoch-Zeit, Paradies, Leidenschaft, Glück, faszinierende und lohnende Ziele.

Warnung: vor mangelnder Klärung von Fragen, Wünschen und Problemen, vor fehlender oder übertriebener Kritik, vor falschen Idealen.

Der Engel der Zuversicht hilft denen, die ihn anrufen, Beziehungen glücklich zu gestalten und immer wieder „Hoch-Zeiten" zu erleben, in denen Liebe und Glück, Eros und Sexus eine wunderbare und gedeihliche Verbindung eingehen.

Was dieser Engel bewirkt

Dieser Engel zeigt uns, welche Glücksphantasien gut für uns sind und welche nicht. Er erinnert uns an unsere glücklichen Zeiten und hält uns unsere weniger glücklichen Stunden vor Augen, damit wir daraus lernen. So leitet er uns auch an, zwischen einem gesunden Gottvertrauen und einem falschen Vertrauen, das schlicht Unselbstständigkeit bedeutet, zu unterscheiden. Der Engel der Zuversicht ist auch ein Engel der Barmherzigkeit und der Liebe. Er hilft uns in Glückszeiten ebenso wie in Stressphasen. Er bewahrt uns vor falschen Hoffnungen und befreit uns von unangebrachten Scham- oder Schuldgefühlen. Er will, dass wir uns immer wieder an die Freude, die wir erfahren haben, erinnern und daraus die Zuversicht gewinnen, neue Freude zu erhoffen – hier und heute.

„Das Gestern ist nur ein Traum, das Morgen nur eine Vision. Aber das Heute, richtig gelebt, macht alles Gestern zu einem Traum des Glücks und jeden Morgen zu einer Vision der Hoffnung. Achte daher wohl auf diesen Tag."
(Sanskrit)

Tipp

Wir haben Freude erfahren und können immer wieder zur Freude zurückfinden. Sie ist Nahrung für die Seele – die Nahrung, die Sie jetzt brauchen ... und spenden können!

❤ Liebe

Wenn Beziehungsprobleme vorhanden sind, sollten Sie sich ihnen stellen: eine Enttäuschung, deren Lektion man gelernt hat, setzt enorme Energien und neue Freude frei!

♣ Glück

Wenn Sie sich und anderen eine Freude machen, sind Sie selbst wie ein Engel!

➚ Erfolg

Je größer die Freude aller Beteiligten, desto größer Ihr Erfolg!

XVIII. Der Engel der Erlösung

Hilfe durch Ausdauer

„Folge dem Strom des Lebens“

Dieser Engel hilft uns,

unsere Bestimmung im Leben zu erkennen. Er hilft uns weiterhin, die großen Geheimnisse der Zeit zu erkennen, und führt uns an große und kleine Themen des persönlichen Lebens heran, die nur auf Dauer, im Verlauf einer langen Zeit, zu erkennen sind.

So ist er auch ein Engel des Schutzes, der uns durch Phasen der Einsamkeit, der Enttäuschung oder der Erschöpfung begleitet.

Stichworte: die Macht der Zeit, gesicherter Erfolg, Fortdauer, Auswanderung, Veränderung des Aufenthaltsortes.

Warnung: vor Flucht, Faulheit, Stagnation, schlechter Belohnung.

Der Engel der Erlösung hilft denen, die ihn anrufen, Veränderungen zu akzeptieren. Im Besonderen stärkt er uns darin, die Chancen und die Aufgaben zu verstehen, die jeder Abschied mit sich bringt. Er kündigt eine unausweichliche Situation an, die man akzeptieren muss.

Was dieser Engel bewirkt

Dieser Engel vermittelt uns neue Einsichten und die Freiheit, die aus dem Verständnis für gegebene Umstände erwächst. Er hilft uns, Licht in noch unbekannte Angelegenheiten zu bringen, vorauszuschauen, sich vorzusehen und bislang unbedachte Alternativen ins Auge zu fassen.

Eine Wiederholung des Gewohnten nach dem Motto „mehr desselben“ führt in dieser Situation nicht weiter. Auch eine „Flucht nach vorne“ ist nicht die Lösung. Dieser Engel hilft zu verstehen, was wir tun und „wohin die Reise geht“! Not macht erfinderisch, wenn wir uns von ihr nicht schach matt setzen lassen, und so besteht das größte Geschenk dieses Engels in der Kraft, der Ruhe und der Besonnenheit, die Hysterie und Hektik verdrängen. Widersprüche und Gegensätze müssen nicht nur ertragen werden, sie können selbst zum Gegenstand der Entdeckung und zum Anreiz für die Entdeckung neuer Möglichkeiten gemacht werden.

Hören Sie auf, mit sich und anderen zu hadern, sich anzutreiben oder noch zusätzlich unter Druck zu setzen. Für gegebene Probleme gibt es intelligentere Lösungen, auf die kommt es jetzt an.

„... dass das weiche Wasser in Bewegung mit der Zeit den mächt'gen Stein besiegt. Du verstehst, das Harte unterliegt."
(Bertolt Brecht)

Tipp

Mit der Kraft dieses Engels fällt es Ihnen leicht, alles was geschieht, zu sortieren – zu nutzen, zu ändern oder loszulassen.

 Liebe

Die Zeit heilt so manche Wunden, und Ihr Verständnis für das Auf und Ab in Ihren Beziehungen schenkt Ihnen Erleichterung und eine neue Offenheit.

 Glück

Dieser Engel lehrt uns, dass auf jedes Ende ein Anfang folgt. Sie müssen einfach „dran bleiben", und das Glück wird Ihr Begleiter.

Erfolg

„Wer meint, alle Früchte würden mit den Erdbeeren reif, versteht nichts von den Trauben" (Paracelsus).

XIX. Der Engel der Gnade

Hilfe durch Neuanfang

„Vertraue der Kraft der guten Tat"

Dieser Engel hilft uns,

das Schicksal in die eigene Hand zu nehmen, und er lehrt uns, mit unseren besten Kräften in Verbindung zu treten. Er hilft in schweren Zeiten und verleiht die Kraft, sich den Aufgaben zu stellen, die das Leben bringt. So ist er auch ein Engel des Schutzes auf Reisen und Seefahrten.

Stichworte: Treue, Liebe zu Gott, Kraft zum Loslassen, Mut zur Veränderung.

Warnung: vor Kurzschlussreaktionen, Wiederholungen, Selbstverlust oder Selbstüberschätzung.

Der Engel der Gnade hilft denen, die ihn anrufen, sich neu zu orientieren, von Negativem zu befreien, Unklarheiten zu bereinigen und positive Kräfte zu mobilisieren. Er führt uns zu einem Neuanfang.

Was dieser Engel bewirkt

Dieser Engel steht für die „Gnade der zweiten Geburt". Es gibt nichts Besseres, nichts Wirkungsvolleres, wenn es um Lebensglück und Lebenserfolg geht. Die „Zweite Geburt" besteht darin, dass wir uns als Erwachsene ein zweites Mal und diesmal selber „gebären", das heißt, ins Leben rufen. Sie bedeutet eine selbstgewählte Existenzform und eine bewusste Lebensführung. An die Stelle eines herkömmlichen (und vor allem gewohnheitsmäßigen) Verhaltens und Denkens tritt jetzt ein *selbst gewählter* Lebensstil. Eine Wahlheimat tritt an die Stelle des Geburts- oder Dienstorts, und Wahlverwandtschaft ersetzt Blutsverwandschaft (wobei man natürlich auch bewusst am alten Ort bleiben und/oder die alten als die neuen Verwandten bestätigen kann).

Wille und Bewusstsein bestimmen die großen und die kleinen Dinge des persönlichen Lebens anstelle von Bequemlichkeit und Wiederholung. Das ist das große Geheimnis dieses Engels.

„Es gibt Gedanken,
die du
nicht begreifen
kannst,
ohne
dein Leben
zu verändern."
(Werner Sprenger)

Tipp

Mit der Kraft dieses Engels nehmen Sie Ihre Arbeit gern auf sich – sei es im Beruf oder im Privatleben.

Liebe

Durch praktischen Rat und konsequente Tat funkelt das Licht der Engel auch in Ihren Beziehungen und Begegnungen.

Glück

Das Wesentliche im Leben bekommen wir geschenkt. Öffnen Sie beide Hände.

Erfolg

Sinnen Sie über neue Projekte nach. Dieser Engel steht für neue Ideen und die Vollendung schwieriger Aufgaben.

XX. Der Engel der Selbständigkeit

Hilfe durch Respekt und Selbstachtung

„Jeder Mensch ist wertvoll“

Dieser Engel hilft uns,

uns selbst und unsere Mitmenschen besser zu verstehen. So wird es leicht, sich und andere gerecht zu behandeln und sich adäquat zu verhalten. Der Engel der Selbständigkeit ist ein Engel der Geschicklichkeit und der Handfertigkeit. Zu beachten ist auch seine Gabe, uns dabei zu helfen, gesellschaftliche Anerkennung und/oder die Achtung bestimmter Menschen zu erlangen.

Stichworte: Stabilität, Selbstbewusstein als selbständiges, bewusstes Sein, Harmonie. Vertrauen ins Schicksal, Respekt vor der natürlichen Ordnung.

Warnung: vor Vorurteilen, übertriebener Strenge, Schwindel, Schicksalsgläubigkeit, Tyrannei.

Der Engel der Selbständigkeit hilft denen, die ihn anrufen, gegen Unterdrückung, Verfolgung und Eifersucht. Er hilft bei psychischen und mentalen Störungen.

Was dieser Engel bewirkt

Lebensfreude statt Lebenskampf: Existenzangst und Existenzkampf hatten ihre historischen Ursachen und haben vielleicht auch für Sie persönliche Gründe. Für diesen Engel sind diese Motive jedoch überholt, der „Existenzkampf“ ist für ihn eine eher abschreckende Vorstellung. Die eigene Existenz ist ein Geschenk Gottes und untrennbar an die persönliche Einzigartigkeit geknüpft – und die kann man weder durch Krieg noch durch anderen Kampf erstreiten. Nur solange der eigene Weg *nicht* beschritten wird, erscheint manches „wie verhext“ und als Herausforderung zum Kampf.

Jeder Mensch ist unmittelbar zu Gott. Jeder trägt einen eigenen göttlichen Funken in sich. Je mehr wir das erkennen, um so mehr verwandelt sich der frühere Existenzkampf in Selbständigkeit und Lebensfreude. Dazu gehört auch die Unterstützung von Menschen, die tatsächlich um ihr Leben kämpfen müssen. Da können wir zum „Engel“ für andere werden.

„Lassen Sie sich nicht einschüchtern und stellen Sie Ihr Licht nicht unter den Scheffel! Vertreten Sie, was Sie innerlich bewegt, und setzen Sie sich ganz dafür ein. Dann sind Sie wie ein Lauffeuer: Nicht aufzuhalten."

(Evelin Bürger/Johannes Fiebig)

Tipp

Wundern Sie sich nicht, wenn dieser Engel Sie betroffen macht. Denn das ist gerade sein Thema: die persönliche und ganzheitliche Betroffenheit.

♥ Liebe

Nicht Ihre Wünsche sind das Problem, sondern Ihre noch junge Selbständigkeit. Erwarten oder fordern Sie nicht vom Partner, was Sie sich selbst erfüllen können.

♣ Glück

Dieser Engel flößt Ihrem Herzen den Wunsch nach großer Liebe und einer ganz und gar wahrhaften Leidenschaft ein. Trauen Sie sich!

Erfolg

Wenn Sie mit diesem Engel in Verbindung stehen, verfügen Sie in besonderem Maße über die Reife, Ihren Aufgaben gerecht zu werden.

XXI. Der Engel der Aussprache

Hilfe durch Aufrichtigkeit

„Das richtige Wort zur richtigen Zeit"

Dieser Engel hilft uns,

durch Offenbarung und Ehrlichkeit eine neue Kraft, eine neue Offenheit und Bereitschaft zu gewinnen. Ihre Autorität und Ihr Durchsetzungsvermögen werden davon profitieren! So steht dieser Engel auch denen bei, die unter Traurigkeit, Zwängen oder Krankheiten leiden.

Stichworte: Das Ende einer Angelegenheit, der zu viel Bedeutung zugemessen wurde. Glück, große Freude. Neue Zuversicht.

Warnung: vor fehlender Geduld oder mangelnder Bescheidenheit.

Der Engel der Offenbarung beschützt die Brautpaare und alle, die sich lieben. Denn er steht für die Kraft der aufrichtigen *Aussprache.*

Er hilft, verwandte Seelen zu finden und Liebesträume zu verwirklichen. Die Spezialität dieses Engels ist es, uns zu helfen, der Liebe in Krisen- und Grenzsituationen treu zu bleiben. Er findet die richtige Antwort und einen neuen Ausweg, auch in einer Situation, in der sich die Liebe zwischen den beteiligten Partnern erneut bewähren muss.

Was dieser Engel bewirkt

Ein richtiges Wort zur richtigen Zeit kann Wunder wirken. Das richtige Wort zur richtigen Zeit vermittelt Einsicht und Verständnis, und mit Verständnis können seelische Wunden heilen.

Dieser Engel hilft uns, innere Widersprüche auszusprechen und zu überbrücken. Mit diesem Engel werden Sie die Seelen erklingen lassen wie edle Kelche. Sie fassen Vertrauen zu dem, was Ihnen oder anderen auf dem Herzen liegt, auch wenn es in sich widersprüchlich erscheint. Die Seele verträgt mehrere Wahrheiten zur gleichen Zeit, ohne an Glanz zu verlieren.

„Es werden dich immer Verlangen und Ängste begleiten, aber du kannst lernen, mit ihnen umzugehen. Der Schatten, der Druck, die Enge lösen und öffnen sich."

(Evelin Bürger/Johannes Fiebig)

Tipp

Dieser Engel ist wie eine Energiedusche und wie ein Phönix. Ihre Kräfte sind erschöpft und werden wieder neu geweckt.

♥ Liebe

Neue Chancen für Ihre Liebe: Nutzen Sie diese Kraft für eine neue Wachheit. Haben Sie den Mut, sich mitzuteilen oder aber bewusst zu schweigen.

♣ Glück

Dieser Engel macht es Ihnen leichter, Ihr Glück zu erneuern und untaugliche Gewohnheiten loszulassen.

Erfolg

Dieser Engel schärft Ihren Sinn für Grundsatzfragen: Sie wissen den Wert vieler „selbstverständlicher" Dinge neu zu schätzen.

XXII. Der Engel der Hingabe

Hilfe durch persönliche Konsequenz

„Mit Leib und Seele“

Dieser Engel hilft uns,

die Familienangelegenheiten sowie die Beziehungen zu unserer Umwelt günstig zu gestalten. Er verringert eventuelle Uneinigkeiten, denn er unterstützt besonders die Originalität und die Aufrichtigkeit bei allen Beteiligten. Er schützt die Geheimnisse, die in jedem Menschen schlummern, und er ermuntert uns, unsere Geheimnisse miteinander zu teilen.

So ist er auch ein Engel des Schutzes für Familien und Freundschaften.

Stichworte: Geradlinigkeit, Spontaneität, Offenheit, Geschicklichkeit.

Warnung: vor Unvorsichtigkeit, Narrheit, Mangel an Einfachheit.

Der Engel der Hingabe hilft denen, die ihn anrufen, sich dessen bewusst zu sein, wie sie mit Freunden und Verwandten umgehen. Indem er das Geheimnis eines jeden Menschen respektiert, fördert er die Hingabe der Menschen an ihre innere Berufung und die persönliche Konsequenz, das heißt die innere Überseinstimmung von Denken und Handeln.

Was dieser Engel bewirkt

Dieser Engel erinnert Sie immer wieder an Ihre Kraft, sich dem Leben voller Offenheit und Gewissheit hinzugeben. Manchmal haben wir das Gefühl, zwischen allen Stühlen zu sitzen. Doch auch dies bringt diesen Engel nicht aus der Fassung. Ähnlich wie es in früheren Zeiten üblich war, dass die Handwerksgesellen zum Zwecke ihrer Berufsausbildung auf Wanderschaft gingen, so kommt es heute für jeden Menschen darauf an, eine spirituelle Wanderschaft anzutreten. Die alten Pilgerwege – wie z. B. der Jakobsweg – stehen als klassisches Beispiel für etwas, das wir heute an jedem Ort und zu jeder Zeit erleben können: Eine persönliche Suche ist unvermeidlich. Man muss im spirituellen wie im persönlichen Sinne auf Wanderschaft gehen, um zum Meister im eigenen Leben zu werden und um die Hingabe an den eigenen Weg und an das eigene Dasein immer wieder mit ganzer Kraft zu erneuern.

„Der Weg nach Hause ist der Weg vorwärts, der tiefer ins Leben hineinführt."
(Colin Wilson)

Tipp

Mit der Kraft dieses Engels gelingt es Ihnen, Ihr Bewusstsein zu schärfen und sich von Zweifeln und Zweideutigkeiten zu befreien.

♥ Liebe

Alles hat seine Zeit. Auch Geheimnisse haben ihre Gültigkeitsdauer. Es gibt Zeiten, sich mitzuteilen, und Zeiten, sich geschlossen zu halten.

 Glück

Bauen Sie Streitigkeiten und Unstimmigkeiten ab – oder gehen Sie ihnen aus dem Weg. Klären Sie, was zu klären ist.

➚ Erfolg

„Es gibt mehr Dinge zwischen Himmel und Erde, als unsere Schulweisheit sich erträumen mag" (W. Shakespeare), und ebenso mehr Geheimnisse, Rätsel und Wunder in jedem Menschen, als wir zunächst vermuten!

XXIII. Der Engel der Kräftigung

Hilfe durch neue Ziele

„In der Begrenzung zeigt sich der Meister"

Dieser Engel hilft uns,

einmal bewusst von äußeren Reizen Abstand zu nehmen und Weisheit und Gelassenheit zur Geltung zu bringen. Manchmal ist es nötig, sich bewusst abzuschotten, um auf Unkenrufe und andere Verführer nicht länger hereinzufallen.

So ist er auch ein Engel des Schutzes vor Verirrung und Abschweifung, aber besonders für das Erwachen der Menschen.

Stichworte: Achtsamkeit, Einkehrtage, Meditation, Wachheit.

Warnung: vor übermäßiger oder zu geringer Vorsicht, Hektik, sinnlosem Tun, fehlendem Zutrauen zu Mitmenschen.

Der Engel der Kräftigung oder Erstarkung hilft denen, die ihn anrufen, hinderliche Bindungen und unfreiwillige Abhängigkeiten aufzugeben. Weil er uns von dem Ballast nebulöser Beziehungen befreit, wird es zugleich leichter, aufrichtige Freundschaften und intensive Beziehungen zu pflegen.

Was dieser Engel bewirkt

Der Engel will gleichsam, dass unser inneres Feuer, der Funke Gottes und die Flamme der Begeisterung in jedem von uns brennen. Ein Segen der Feuerenergien besteht ja darin, dass sie sich dadurch erneuern, dass wir sie verbrauchen.

Der Engel der Kräftigung lehrt uns, dieses Geschenk des Himmels zu nutzen. Er zeigt uns, wie wir mit viel Feuer – sprich mit Hingabe, Begeisterung und Power – leben können. Seine Botschaft sind die Treue zu Gott, der Wille zu sich selbst und die Lust, über sich hinauszuwachsen. Dadurch gewinnen wir neue Kräfte.

Dieser Engel signalisiert: Wenn wir auf gekonnte Art und Weise das Feuer schüren, macht uns das Leben immer neue Geschenke. Er ermöglicht eine kreative Weiterentwicklung, nicht zuletzt bei Schwierigkeiten oder in Engpässen.

„Manchmal stolpert
mein Herz,
Schweiß
tritt mir auf die Stirn.
Dann behaupte ich,
mein Kreislauf
macht
nicht mehr mit.
Wenn ich jedoch
meinen Kreislauf
unterbreche,
hüpft mein Herz,
als sei es gesund."
(Harald Utecht)

Tipp

Sie können dazu beitragen, dass menschliche Kälte, Farblosigkeit und Lustfeindlichkeit in ihre Schranken verwiesen werden, ebenso wie die gewaltsamen Feuerkräfte, die über die Erde irrlichten.

♥ Liebe

Geben Sie bei Schwierigkeiten nicht auf! Ihre Beziehung verträgt diese Prüfung. Sie besitzen noch Reserven.

♣ Glück

Sie waren schon erlöst, als Sie als Baby auf die Welt kamen. Warum also wie ein Hamster im Rad laufen? Setzen Sie sich bewusste Ziele und erfahren Sie neues Glück.

➚ Erfolg

Mit der Kraft dieses Engels gelingt es Ihnen, bislang versteckte Dinge aufzudecken. Einen Teil davon können Sie sehr gut nutzen!

XXIV. Der Engel der Verzeihung

Hilfe durch neue Leidenschaft

„Nutze deine Stärken – und deine Schwächen“

Dieser Engel hilft uns,

Schwächen nicht zu verachten, sondern eigene Schwächen zu akzeptieren und anderer Leute Schwächen zu verzeihen. Er bietet uns die Erfahrung, das Herz weit zu öffnen und die himmlische Liebe und Güte voll zu erleben.

So ist er ein Engel der Barmherzigkeit, aber vor allem ein Schutzengel der Liebenden – und der Lebenskünstler!

Stichworte: Erwartete und unerwartete Gaben, Geschenke und Aufgaben, Belohnung, erfüllte Hoffnungen, gute Aussichten.

Warnung: vor Unsicherheit, Nachlässigkeit, Mangel an Initiativen, Flucht aus der Wirklichkeit.

Der Engel der Verzeihung hilft denen, die ihn anrufen, mit dem Kosmos, mit Gott und der Welt eins zu sein. Dieses Einssein öffnet die Tür zu unerwarteten Lösungen und letztlich die Tür zu allem.

Was dieser Engel bewirkt

Wie wir mit eigenen und fremden Schwächen umgehen, ist ein Spiegel dafür, wie wir es mit unseren großen Gefühlen und Leidenschaften halten. Manche lassen nie locker, kämpfen generell gegen Schwächen und Schwachpunkte, um ihre großen Ziele hochzuhalten. Andere verteidigen und wiederholen bestimmte Unzulänglichkeiten, weil sie innerlich beinahe resigniert haben.

Aus solchen und anderen Sackgassen hilft uns dieser Engel heraus. Er zeigt uns, wie wir mit Schwächen kreativ umgehen:

Schwächen sind als Teil des Ganzen unvermeidlich. Wir gewinnen sogar neue Kräfte, wenn wir Schwächen akzeptieren können. Und wenn wir in vernünftigem Maße dem nachgehen, wofür wir eine Schwäche besitzen. Und wenn schon Ihre Schwächen einen Sinn haben – wie viel mehr dann erst Ihre Stärken!

„Es ist doch sonderbar,
wie auch der
vortrefflichste Mensch
schlechte Eigenschaften
haben muss,
gleich einem
stolz segelnden Schiff,
welches Ballast braucht,
um zu einer
guten Fahrt gehörig
schwer zu sein."
(Gottfried Keller)

Tipp

Vertrauen Sie mit diesem Engel auf die Kraft der Besinnung und Ihren Erfindungsgeist. Sie haben das Geschick, einen Ausweg zu erkennen und eine Brücke zu bauen.

Liebe

Dieser Engel lässt Sie ruhig atmen – das Unplanbare und das Unvorhergesehene sind genauso „gut" wie das Geplante und Vorausberechnete.

Glück

Selbstlob und Selbstkritik der eigenen Entscheidungen und Urteile bringen besonderes Glück.

Erfolg

Wenn Sie unnötige Schwächen beheben und unvermeidliche Einschränkungen akzeptieren wollen, dürfen Sie die Flinte nicht ins Korn werfen.

XXV. Der Engel der Entspannung

Hilfe durch Loslassen

„Spüre deinen Rhythmus“

Dieser Engel hilft uns,

uns zu erholen und aus allem, was wir tun oder lassen, neue seelische Energien zu gewinnen. Mit Einfühlung, Verständnis und Meditation kommen Sie zur Ruhe und gewinnen wichtige Einsichten. Das ist für Sie selbst eine Quelle aufgeklärter Lebensfreude. Und für andere können Sie auf diese Weise eine wichtige Hilfe auf psychischem und spirituellem Gebiet sein. Menschen, die gut loslassen können, werden von diesem Engel besonders unterstützt.

So ist er auch ein Engel der Entspannung und der sommerliche Heiterkeit – zu jeder Jahreszeit!

Stichworte: Klarheit, Daseinsfreude, Spiel, Menschlichkeit.

Warnung: vor Scheingefechten, Fixierung auf materielle oder geistige Besitztümer.

Der Engel der Entspannung hilft denen, die ihn anrufen, Spannungen zu lösen und neue Möglichkeiten zu entdecken.

Was dieser Engel bewirkt

Manchmal gelingt der gewünschte Neuanfang nur, wenn zuvor offene Rechnungen beglichen wurden. Der Engel kann uns auffordern, uns erneut mit Menschen auseinander zu setzen, die scheinbar für uns schon „gestorben“ waren. Man muss vielleicht einen Teil der Auseinandersetzung, der noch aussteht, nachholen. Damit schafft man die Voraussetzung für einen wirklichen Neubeginn, der von altem Ballast befreit.

Manchmal wiederum meinen wir, erst müsse der Erfolg oder das Glück oder die große Liebe kommen und dann werde das Leben endlich leicht und angenehm werden. Dieser Engel schlägt jedoch einen anderen Weg vor: Machen Sie sich das Leben endlich leicht und angenehm – sorgen Sie Stück für Stück für Erleichterungen, was ihre wichtigsten Wünsche oder Ängste betrifft. Dann stellt sich alles Weitere ganz von alleine ein.

„Nichts
ist
los,
solang'
du
alles festhältst."
(Jo Enger)

Tipp

Wenn Sie einen Strich unter Vergangenes ziehen können, fühlen Sie sich wie neugeboren.

❤ Liebe

Strecken Sie die Hand aus – für einen Neuanfang, einen Abschied, eine Bereinigung oder Klärung!

 Glück

Dieser Engel dringt in die Tiefe des Herzens aller vor und macht Ihnen das Göttliche bewusst, das in Ihnen steckt.

↗ Erfolg

Wenn Sie lebendig, spielerisch und einfallsreich vorgehen, werden Sie den größten Erfolg erzielen.

XXVI. Der Engel der Weisheit

Hilfe durch neues Selbstverständnis

„Was du suchst, ist das, was sucht"

Dieser Engel hilft uns,

Projekte zu realisieren. Er verhilft zu erstaunlich „leichten" Lösungen bei schwierigen Problemen. Diese Lösungen finden wir in den uralten Weisheiten der Religionen – wenn wir sie persönlich, mit unseren Worten und für die aktuelle Situation formulieren. Es müssen keine perfekten Sätze, keine vollendeten Erkenntnisse sein.

So ist er auch ein Engel der Reife und des Wachstums bis ins Alter, ja gerade im Alter.

Stichworte: Triumph, Fruchtbarkeit, Ausweg, neue Freude.

Warnung: vor Hemmungen jeder Art, vor unterschätzten Hindernissen und unberücksichtigten Gegenkräften.

Der Engel der Weisheit gewährt denen, die ihn anrufen, Schutz vor Gefahren und Verlusten. Er sorgt für ein erfolgreiches Gelingen der Vorhaben. Er hilft uns, das alte Wissen unserer Vorfahren und Vorvorfahren neu zu verstehen und zu nutzen. Er will, dass wir die Lage und die persönlichen Aufgaben weise einschätzen.

Was dieser Engel bewirkt

Der Engel stößt uns an. Er bewirkt besondere, bleibende Eindrücke und steckt uns ein neues Licht auf, was die nächsten Schritte angeht. Jeder Ruf des Himmels ist ein besonders wichtiges Ereignis – ein Fingerzeig fürs gesamte Leben.

Doch wie macht sich dieser Engel, dieser Ruf bemerkbar? Die Antwort liegt ganz nahe: Alle Situationen und Ereignisse, die eine besonders intensive Energie ausstrahlen, geben einen Hinweis darauf, dass da etwas eine besondere Rolle in unserem Leben spielt. Momente voller Begeisterung ebenso wie Erfahrungen, die durch Stress oder Probleme besonders auffallen.

„Für einen,
der nicht versteht,
sind Berge Berge.
Für einen,
der zu verstehen beginnt,
sind Berge
nicht mehr Berge.
Für einen,
der versteht,
sind Berge
wieder Berge."
(Zen-Spruch)

Tipp

In Ihren Begabungen wie Ihren Handicaps liegen Ihre Lebensaufgaben und alle kreativen Lösungen, nach denen Sie suchen.

 Liebe

Mit der Kraft dieses Engels werden Sie klarer, aufrichtiger und sensibler. Ihre Mühen werden belohnt.

 Glück

Sie stellen sich den Herausforderungen im Gefühls- wie im Arbeitsleben – und meistern sie!

Erfolg

Nutzen Sie jedes verfügbare Wissen – sammeln Sie Informationen auch auf unkonventionelle Weise. Sie finden, was Sie suchen!

XXVII. Der Engel der Geduld

Hilfe durch das rechte Maß

„Versorge dich mit köstlicher Freude"

Dieser Engel hilft uns,

das Verlangen zu leiten und sinnvoll einzusetzen. Wir wollen vieles *sofort* haben und möglichst keine Sekunde später. Dieser Engel hilft uns *hauszuhalten*. Dadurch sparen wir nicht nur enorme Mengen an Geld, Kraft und Zeit. Sondern wir erreichen auch besser und bewusster unsere wichtigen Ziele.

So ist er ein Engel des Verzichts und der vollständigen Befriedigung – alles geschieht zur rechten Zeit.

Stichworte: Glück, Erfolg, Gewinn zur richtigen Zeit.

Warnung: vor Verrat, Widersprüchen, Ausreden, Schwierigkeiten, vor dem falschen Zeitpunkt.

Der Engel der Geduld hilft denen, die ihn anrufen, Trägheit und Lustlosigkeit zu überwinden. Er schützt uns auch vor Nachlässigkeit. Er sendet Güte und Vermittlungsfähigkeit. Am beeindruckendsten jedoch ist seine Kraft, Feindschaft in Trennung – oder in Freundschaft zu verwandeln.

Was dieser Engel bewirkt

Er schenkt uns Geduld, Verständnis und Zielstrebigkeit. Er zeigt denen, die sich ihm anvertrauen, sein Wohlwollen. Dabei ist es hilfreich, nicht nur nach dem eigenen Willen zu handeln, sondern auch auf die Interessen anderer zu achten.

Setzen Sie sodann Ihre Kraft mit ganzer Macht nicht gegen andere, sondern *für sich* ein, damit Sie einen Platz finden, wo Sie glücklich und zufrieden sind. Wenn Sie mit diesem Engel in Verbindung stehen, haben Sie den Mut, komplizierte Probleme anzugehen, langfristige Arbeiten auszuführen und umfangreiche Projekte zu übernehmen. Mit seiner Hilfe werden Sie große Aufgaben in kleine Zwischenschritte einteilen, sich auf einen langen Weg einrichten und, auch wenn Sie lange unterwegs sind, unterdessen Ruhe und Glück verspüren.

„Ist das nicht wunderbar? Kein anderes Gesetz, nur dieses: Liebe deinen Nächsten und ebenso dich selbst!“

(Swami Samanando)

Tipp

Lassen Sie die anderen in Ruhe. Tun Sie etwas, das Ihnen selbst gut tut und Sie erfreut.

♥ Liebe

In den aktuellen Themen Ihrer Partnerschaft schlummert die Frage nach Ihren langfristigen Zielen. Die Ereignisse des Tages geben Ihnen dazu neue Hinweise!

♣ Glück

Kümmern Sie sich um Wünsche und Angste: Gestalten Sie Ihr Glück – auch ein langer Weg lohnt sich!

↗ Erfolg

Stellen Sie sich auf langfristige Aufgaben ein. Aber verschieben Sie nicht, was Sie heute zu tun haben.

XXVIII. Der Engel des Forschens

Hilfe durch Entdeckung

„Unter dem Pflaster, da liegt der Strand“

Dieser Engel hilft uns,

die Dinge zu entdecken und zu verstehen, die unter der Oberfläche verborgen liegen. Das betrifft materielle wie seelische und geistige Dinge. So ist dieser Engel auch ein Engel des Forschens und Findens.

Stichworte: Zielstrebigkeit, Furchtlosigkeit, Bereitschaft zur Selbstkritik, Beständigkeit.

Warnung: vor Veränderung, Unbeständigkeit, fehlendem oder übertriebenem Ernst.

Der Engel des Forschens hilft denen, die ihn anrufen, Versprechen selbst einzuhalten und von unnötigen Enttäuschungen durch andere verschont zu bleiben.Dieser Engel kennt auch die verborgenen Talente in jedem von uns. Er weiß um unsere Absichten, unsere Sorgen, aber auch um unsere unentdeckten Kräfte und unsere zusätzlichen Möglichkeiten. Daher ist es ihm gegeben, stille Reserven zu wecken, Hoffnungen und Versprechen einzulösen.

Was dieser Engel bewirkt

Es ist nie zu früh und kaum jemals zu spät, sein Leben zu ändern. Konzentrieren Sie sich auf das, was auf Sie zukommt. Dieser Engel steht für den Kontakt mit unbekannten Gefühlen und teilweise ungewohnten persönlichen Bedürfnissen. Sie haben die Möglichkeit, alten Stress zu verabschieden und neue Kräfte zu gewinnen.

Außerdem leistet dieser Engel auch bei einem schwierigen Karma Beistand. Er erinnert daran, dass die Sonne immer scheint, auch wenn sie von Wolken verdeckt ist.

„Glaubet
den Lehrern nicht,
glaubet
den Büchern nicht,
glaubet auch mir nicht.
Glaubt nur das,
was ihr selbst
gründlich geprüft und
als euch selbst und den
anderen zum Wohle
dienend erkannt habt.“
(Gautama Buddha)

Tipp

Trotz widriger Umstände: Es steckt ein besonderes Glücksmoment in Ihren aktuellen Fragen.

Liebe

Wenn Sie mit diesem Engel in Verbindung stehen, sind Sie nicht nach tragend und verurteilen andere nicht wegen ihrer Fehler und Irrtümer ...

Glück

... außerdem halten Sie Ihr Wort.

Erfolg

Alles Forschen hat auch eine Grenze, und Sie sollten entscheiden und handeln, sobald diese erreicht ist.

XXIX. Der Engel der Leichtigkeit

Hilfe durch Lösung

„Alles ist schwer, bevor es leicht wird“

Dieser Engel hilft uns,

alte Knoten zu lösen und Konfliktparteien zu versöhnen. So zählt es zu seinen besonderen Gaben, Frieden innerhalb der Familie zu halten und Probleme bei einer Erbschaft, einer Güterteilung oder einer sonstigen familiären Vereinbarung zu vermeiden.

So ist dieser Engel auch ein guter Friedensstifter. Mit seinem Schutz gelingt es uns, einen Feind zum Freund werden zu lassen.

Stichworte: Innere Harmonie, Güte, seelische Stärke und menschliche Größe.

Warnung: vor Oberflächlichkeit, Verletzungen, Gedankenlosigkeit, Aktionismus.

Der Engel der Leichtigkeit warnt vor Illusionen und zu hoch gesteckten Erwartungen. Er hilft denen, die ihn anrufen, sich die richtigen Ziele zu setzen und die notwendigen Schritte zu gehen.

Was dieser Engel bewirkt

Für jeden von uns gibt es eine Möglichkeit, ein harmonisches Leben in Leichtigkeit zu leben. Manche Rauheiten, viele Unfreundlichkeiten des Lebens sind nicht zu vermeiden. Dennoch und selbst dann ist es nicht nötig, sein Leben in Unruhe, Schwermut oder Missstimmung zu fristen. Es gibt bessere Lösungen.

Der Engel der Leichtigkeit ist ein Meister der bestandenen und gelösten Konflikte. Er wird nicht traurig, wenn er mit bösen Taten oder lieblosen Dingen konfrontiert wird: Er schärft seine Aufmerksamkeit, schützt sich und reagiert mit Entschlossenheit und Konsequenz. Er verliert selbst dann seine Güte nicht, wenn er mit harten Bandagen kämpft.

Man kann seinen Beistand suchen, wenn etwas „verfahren“ oder ausweglos erscheint. Er zeigt den Weg zur Leichtigkeit zurück: Leicht ist, was gelöst wurde.

„Mein Herz sei leicht wie eine Feder!“
(Margarete Petersen)

Tipp

Wer eine Lösung finden will, muss sich selbst loslösen und bewegen!

Liebe

Manchmal können sich selbst diejenigen, die sich lieben, nicht verstehen. Geben Sie nicht auf und vertrauen Sie darauf, verstockte Gefühle auf allen Seiten zu lockern und schließlich zu lösen!

Glück

Lösen Sie sich aus allen Verpflichtungen und Beziehungen, in denen Gefühle verletzt sind.

Erfolg

Lassen Sie sich von Zynikern und unruhigen Geistern nicht beeinflussen. Konzentrieren Sie sich auf die Lösung, die Sie suchen!

XXX. Der Engel der Würde

Hilfe durch Dankbarkeit

„Ich weiß, wer ich bin und was ich will"

Dieser Engel hilft uns,

innere und äußere Vorgänge zu begreifen. Er gibt seelische Ruhe und schützt vor Aufgewühltheit und Ärger. Die Menschen sollen Gott dienen, aber nicht anderen Menschen untertan sein! Dieses Wissen, diese einfache, aber wichtige Tatsache macht uns dieser Engel sehr bewusst.

So ist er auch ein Engel der verbindenden Liebe, der Gegenwart und der Achtung Gottes.

Stichworte: Spiritueller oder materieller Fortschritt, kosmische Intelligenz, persönlicher Weg.

Warnung: vor Problemen aus früheren Irrtümern, fortdauernde Illusionen, Wahn und Betrug.

Der Engel der Würde hilft denen, die ihn anrufen, sinnlose Zumutungen zurückzuweisen und sich für die richtigen, eben würdigen Ziele mit Nachdruck zu engagieren.

Was dieser Engel bewirkt

Er flößt sowohl körperliche als auch moralische Kraft ein: Er ist selbst in schwierigen Momenten in der Lage, die Kraft zu schenken, bei Gott zu bleiben und über Ängste und Lieblosigkeiten zu triumphieren.

Auch wenn sich die Überwindung von Hindernissen schwieriger als angenommen herausstellen könnte, ist es wichtig, nicht den Mut zu verlieren.

Wenn Sie mit dem Engel der Würde in Verbindung stehen, haben Sie die Fähigkeit, alles mit Dankbarkeit zu betrachten. Dankbarkeit heißt nicht, zu allem „Ja" zu sagen, sondern das gegebene Leben als Geschenk und Aufgabe anzunehmen. So bewahren Sie Ihre Würde – als etwas, das Sie von allen unterscheidet und doch mit der Welt und „allem", mit dem Strom des Lebens verbindet!

„Lust
(die Lebenslust)
ist das Ziel
allen Handelns."

(P. Samuelson)

Tipp

Sehen Sie sich selbst ins Auge. Die Dankbarkeit, die Sie sich erweisen, werden Sie auch anderen schenken. Und umgekehrt.

❤ Liebe

Sagen Sie Ihrer Partnerin oder Ihrem Partner, was Ihnen gefällt und was nicht.

♣ Glück

Teilen Sie sich mit: Weihen Sie andere (noch mehr) in Ihre Geheimnisse ein ...

➚ Erfolg

... und lassen Sie sich entsprechend von anderen ins Vertrauen ziehen.

XXXI. Der Engel der Freude

Hilfe durch die ‚gute Botschaft'

„Ich liebe, also bin ich"

Dieser Engel hilft uns,

zu lieben. Aus spiritueller Sicht *lebt nur, wer liebt.* Liebe ist eben nicht nur ein Gefühl, sondern eine Lebenseinstellung, eine Veranlagung zum Wesentlichen, eine Berufung, die jeder hat. Liebe ist die Entscheidung, die gegebenen Möglichkeiten anzunehmen, sich zu kümmern und sich auf sich selbst, auf andere, auf eine Aufgabe oder ein Ziel wirklich einzulassen. Liebe ist demnach ein Energiepegel – ein Gemüts- und Bewusstseinszustand. Lieben heißt einfach wacher sein, mehr erfahren und besser wahrnehmen.So ist er auch ein Engel der „guten Botschaft", der Freude am Dasein und des Glücks, dieses mit anderen teilen zu können.

Stichworte: Stärke, Unerschrockenheit, Disziplin. Höhere Lebensstufe.

Warnung: vor fehlenden höheren Zielen oder tieferen Einsichten, unbewussten Gewohnheiten.

Der Engel der Freude hilft denen, die ihn anrufen, das spirituelle Wachstum zu beschleunigen und unseren Geist mit Freude zu erfüllen.

Was dieser Engel bewirkt

Er spornt zu Selbstliebe und Nächstenliebe an. Er gibt uns ein Bewusstsein bezüglich der eigenen Werte und unterstützt uns, die Freude, unserem Nächsten zu helfen, zu genießen.

Die Freude, die wir in uns selbst entdecken und mit unserem Gegenüber teilen, ist einer der schönsten Gründe für unsere lange Reise durch ein kurzes Leben. Lassen Sie diese Freude sich immer weiter entfalten, schaffen Sie ihr neue Geltungsbereiche.

Der Beistand und die Unterstützung dieses Engels ist nicht immer schnell zu gewinnen.

Er erwartet von uns, dass wir lieben – nicht, weil wir die „Bezahlung" oder eine Rückvergütung unserer Liebe erwarten. Sondern deshalb, weil wir eben Liebe in uns haben und weil es besser ist, mit Liebe als ohne Liebe zu leben.

„Wenn du
an dir
nicht Freude hast,
die Welt
wird dir
nicht Freude machen.“
(Paul Heyse)

Tipp

Sie sind eine liebevolle und liebenswerte Person. Sagen Sie „Ja“ zur Liebe.

❤ Liebe

Hier verliert die Liebe ihre Beschränkung auf Ehe und Familie und gewinnt, was sie immer auch schon war: die Freude am Dasein und das Glück, dieses mit anderen teilen zu können.

♣ Glück

Liebe ist eine Daseinsweise, die schöner, lebendiger und reicher ist als ein Leben ohne Liebe – und deshalb ein direkter Weg ins Glück. Lassen Sie sich Zeit für die Liebe.

➚ Erfolg

Liebe ist auch die Entscheidung, sich zu kümmern und einem Menschen oder einem Ding wirklich zu begegnen. Das entscheidet auch über Ihren beruflichen und geschäftlichen Erfolg!

XXXII. Der Engel der Vollendung

Hilfe durch Eigen-Sinn

„Nichts verdrängen – nichts vertagen"

Dieser Engel hilft uns,

Trost, Ermunterung und Bestätigung zu finden. Er entzündet auch den Wunsch nach spiritueller Entwicklung unter den Menschen. Er ist der Engel des Wachsens, des Sich-Entfaltens und der Vollendung.

Stichworte: Power, Trost, Ermunterung und Bestätigung, Vertrauenswürdigkeit, Hilfsbereitschaft, Großzügigkeit.

Warnung: vor Trägheit, Selbstverliebtheit, Rauheit, Kleinlichkeit.

Der Engel der Vollendung lehrt uns: Alles, was lebt, trägt eine bestimmte Form in sich, folgt einem ‚eigenen Sinn'. Schon jede Blume besitzt einen eigenen Bauplan, ihr eigenes Programm, nach dem sie sich entwickelt. Auch der Mensch besitzt einen solchen Plan. Wenn wir unseren Eigen-Sinn erforschen und verwirklichen, entwickeln wir unsere Natur und orientieren uns *himmelwärts.*

Was dieser Engel bewirkt

Von dieser Kraft spricht zum Beispiel Hermann Hesse mit den Worten: „Eine Tugend gibt es, die liebe ich sehr, eine einzige. Sie heißt Eigensinn. (...) Alle andern, so sehr beliebten und belobten Tugenden sind Gehorsam gegen Gesetze, welche von Menschen gegeben sind. Einzig der Eigensinn ist es, der nach diesen Gesetzen nicht fragt. Wer eigensinnig ist, gehorcht einem anderen Gesetz, einem einzigen, unbedingt heiligen, dem Gesetz in sich selbst, dem ‚Sinn' des ‚Eigenen'".

Hier helfen kein Wunderglaube und auch kein bloßes Zuwarten. Fragen Sie sich nach Ihren Wünschen und Ängsten: Stimmige und unsinnige Wünsche, sinnvolle und unbegründete Ängste müssen sortiert werden – dann wissen Sie, was zu tun ist!

„Die Geburt
ist nicht
ein augenblickliches
Ereignis, sondern ein
dauernder Vorgang.
Das Ziel des Lebens
ist es, ganz geboren zu
werden …
zu leben
bedeutet,
jede Minute
geboren zu werden."
(Erich Fromm)

Tipp

Starke Energien wirken auf Sie ein, und starke Energien stehen Ihnen zur Verfügung.

Liebe

Bauen Sie auf die Treue zu sich selbst, fassen Sie Zutrauen zur „inneren Stimme", probieren Sie es einmal aus, jeden Menschen in seinem „Eigensinn", in seiner Beschaffenheit zu lieben.

 Glück

Schließen Sie für heute Frieden mit Gott – und mit sich und Ihren Nächsten!

Erfolg

Heute ist Ihr Tag! Alles ist wichtig, aber Sie können wählen, wie Sie damit umgehen.

Engel sind überall

Kleine Geschichte der Engel in den Religionen

Das Wort „Engel“ leitet sich vom griechischen Wort „angelos“ ab, was Bote oder Gesandter bedeutet. Es ist eine Übersetzung des hebräischen *mal'ach* und des arabischen *Malaika* (was jeweils ebenfalls *Bote* bedeutet) und stellt in vielen Religionen ein Wesen dar, das Gott oder den Göttern zur Seite steht, aber von ihnen unterschieden wird.

Engel sind Boten

Um den Begriff „Engel“ zu verstehen und historisch einzuordnen, muss man sich den Hofstaat eines Königs oder Kaisers vorstellen. Es gab dort jeweils Mittler, Zwischenpersonen als Medium zwischen König und Volk. Da man das Reich Gottes mit dem Hofstaat eines Königs verglich, brauchte man einen Boten, einen Vermittler, der die Verbindung zwischen Gott und seinem Volk herstellte.

Bei den alten Griechen war es vor allem der Götterbote Hermes, der die himmlischen Nachrichten vom Olymp auf die Erde brachte.

Die Römer glaubten, dass jeder Mensch einen Schutzgeist hat, der ihn durch sein Leben führt. Dieser antike Vorläufer des Schutzengels wurde im alten Rom *Genius* genannt. (Doch Experten streiten darum, ob dieser tatsächlich mit unserem heutigen Engel zu vergleichen ist.)

Der heute noch bekannte Brauch, sich zur Wintersonnenwende mit einem Kerzenkranz zu schmücken (Lucia), geht auf die altrömische Gottheit Lucina zurück, deren Name „die ans Licht Befördernde“ bedeutet.

Seit der Frühzeit mit Flügeln

Die Himmelsboten werden bereits in der Kunst des alten Orients, bei den Griechen und Römern mit Flügeln dargestellt. Im alten Sumer, in Babylon und Assyrien finden sich auch die *Kerube*, gewaltige, feierlich-ernste Schutzgeister. Sie sind Wächter des himmlischen und irdischen Heiligtums, Mittler zwischen den Welten und Fürbitter der Menschen vor den großen Göttern. Sie sind als mächtige geflügelte Menschengestalten dargestellt, manchmal auch als geflügelte Mischwesen aus Mensch und Tier. Oft werden sie als die ältesten Engeldarstellungen und überhaupt als Vorbilder der jüdischen und christlichen *Seraphim* bezeichnet.

Eine spezielle Variante dieser himmlischen Helfer aus ältesten Zeiten ist der *Psychopompos* (griech.: Seelenführer). Dieser war zugleich Vorläufer des Schutzengels und des Todesengels. Er begleitete die Seelen auf ihrer Reise durch die Nacht des Todes zur Wiedergeburt am Tage. Ein berühmter Vertreter dieser Seelenführer war der ägyptische *Anubis*, der mitunter auch *Hermanubis* (eine Mischform aus Hermes und Anubis) genannt wurde.

In der Bibel werden Engel an vielen Stellen erwähnt, vom ersten Buch des Alten Testaments bis zum letzten Buch des Neuen Testaments. Und sie sind nicht nur Randfiguren, sondern greifen in das irdische Geschehen aktiv ein. Sie verkünden, überbringen oder erklären himmlische Visionen, sie erscheinen in Träumen, sie mahnen, sie ermuntern, sie fordern auf etwas zu tun, sie erlösen aus Schwierigkeiten und befreien aus Gefangenschaft.

Geheimlehren im Jahre 500

Die wohl wichtigste Schrift des Christentums über Engel erschien etwa im Jahr 500 n. Chr. und wurde wahrscheinlich von *Dionysos Areopagita* verfasst. Das war eine Art früher Esoterik, eine Geheimlehre, in deren Mittelpunkt die himmlischen Heerscharen mit ihren Hierarchien und Engelwesenheiten standen.

Der Autor dieses frühen Werks schreibt, dass der Ursprung der Lehre auf Dionysos Areopagita zurückgehe, einen Schüler des Apostel Paulus. Auch wenn die historische Existenz dieses Dionysos Areopagita umstritten ist, so haben die nach ihm benannten Schriften zu vielen Zeiten große christliche Heilige wie Bernhard von Clairvaux, Hildegard von Bingen, Bonaventura oder Thomas von Aquin inspiriert und im wahrsten Sinne des Wortes beflügelt.

Engel, Devars und Dakinis

Der Islam weist viele Parallelen zu den christlich-abendländischen Engel-Vorstellungen auf. Dort werden die Boten, wie oben erwähnt, *Malaika* genannt, und dieses Wort kommt recht häufig im Koran vor. Der Überlieferung nach wurde der Koran, die heilige Schrift des Islam, dem Propheten Mohammed vom Engel Gabriel diktiert.

In den heiligen Schriften des Hinduismus heißen die Engel Devta oder Devars. Sie erhöhen das Bewusstsein der Menschen und bringen dadurch Heiterkeit, Freude, Liebe, Schönheit, Ausgelassenheit und Gelassenheit, Unbeschwertheit und Furchtlosigkeit mit sich.

Der tibetische Buddhismus kennt *Dakinis* und *Dakas.* Eine *Dakini* (Sanskrit: „Himmelstänzerin") ist ein tantrisches Geistwesen des antiken Indiens, welches nach der Mythologie die Seelen der Toten in den Himmel bringt. Die Dakini ist ein weibliches Wesen mit einem sehr wandelbaren, teils auch wilden Temperament. Das männliche Pendant bezeichnet man im Sanskrit als *Daka.* Dakinis können mit Elfen und Engeln verglichen werden, haben im Gegensatz zu diesen jedoch durch ihre Gesten ein erschreckendes Erscheinungsbild. Sie repräsentieren Ermutigung und Prüfung auf dem spirituellen Weg.

Engel als Entwicklungsstufe der Seele

Im 19. Jahrhundert entfernten sich die Engel in Europa immer mehr von ihrer kirchlich-sakralen Herkunft. Umso mehr wurden sie als weltliches Motiv beliebt und in esoterisch-theosophischen Kreisen entdeckt. Die Engel waren nun, ab 1850, passender Ausdruck für innere Vorgänge.

In der Mystik gab es allerdings seit dem Mittelalter bereits die Vorstellung, dass sich eine Seele über verschiedene Stufen von Steinen, Pflanzen und Tieren hin zum Menschen entwickelt. Nach dem Tod des menschlichen Körpers kann eine Seele die Stufe des Engels erreichen.

Diese Vorstellung treffen wir bei den Sufis, einer mystischen Strömung im Islam, ebenso wie in christlichen und anderen mystischen Strömungen.

In der christlichen Mystik wird diese Vorstellung zum Beispiel von Emanuel Swedenborg vertreten. In seinem späten Werk *Die eheliche Liebe* beschreibt er, wie durch die Ehe aus den Seelen von Mann und Frau im Himmel ein neuer Engel entstehe.

Diese Vorstellung von der Höherentwicklung treffen wir dann auch in weiteren Zusammenhängen, etwa in Andersens Märchen „Die kleine Seejungfrau", worin die Nixe zum Schluss erstmals eine unsterbliche Seele erwirbt.

Kurz, in diesen Traditionen stehen die Engel stets auch für das Potential, für die Entwicklungsmöglichkeiten der Menschen.

Fliegen lernen!

Nachwort

Der Grund,
weshalb Engel fliegen können:
Sie nehmen sich selbst so leicht.
(G. K. Chesterton)

Alles ist schwer, bevor es leicht wird", heißt es in diesem Buch beim *Engel der Leichtigkeit* (Engel XXIX). Aller Anfang ist schwer, danach wird es leichter – durch Arbeit, Lernen und innere Wandlung wird dieser Wechsel möglich. Wir alle kennen die Erfahrung, dass wir heute Aufgaben mühelos bewältigen, die uns etwa im zweiten Schuljahr noch Schweiß oder Tränen abverlangten. So ist es aber auch mit Fragen wie der persönlichen Zufriedenheit, dem Glück in der Liebe, der erfolgreichen Gestaltung von privaten und beruflichen Beziehungen und vielen anderen Lebensthemen: Erst ist es schwer, und wenn man nichts probiert und ändert, bleibt es auch schwer. *Leicht wird es durch Lösungen.* Wer eine Lösung finden will, muss zuerst sich selbst lösen und bewegen!

Engel wirken durch uns

Auf manche Fragen finden wir rasche Antworten. Bei anderen sind vierzig, fünfzig oder mehr Lebensjahre nötig, bis die Lösung gefunden ist!

Meist muss man einen Weg erst selber bauen, wenn es um wichtige persönliche Ziele geht. Die Beschäftigung mit Engeln kann dabei kein Freibrief und keine Entschuldigung für das eigene Tun oder Nichttun sein. Die wirklichen Erlebnisse und Ergebnisse im eigenen Leben bleiben der Zweck und der Maßstab.

Der große Zuspruch, den mein erstes Engel-Buch[1] gefunden hat, hat mich besonders deshalb gefreut, weil auch meine kritischen Bemerkungen auf positive Resonanz gestoßen sind. Unverändert gibt es so viel Kitsch, Aberglauben und falschen Wunderglauben (= Wahn) in Teilen der Engel-Szene und selbst bei bekannten Engel-Autoren, dass man vor weltfremden Einbildungen und illusorischen Verheißungen weiterhin nur warnen kann.

In meiner Praxis habe ich viele Menschen getroffen, denen die seriöse Beschäftigung mit Engeln sehr geholfen hat. Dabei haben sich vor allem drei Gruppen von „Engel-Interessenten" herauskristallisiert, für welche die innere Begegnung mit Engels besonders nützlich ist: Menschen mit Angst vor Stärke; Menschen mit Angst vor Schwäche; und Menschen, die wieder oder erstmals nach „Gott" suchen.

Mut zur Stärke

Besonders bei Schwierigkeiten, in schlimmen Zeiten, die wir alle einmal erleben, verkörpern Engel den *Lichtblick*, den wir dann sehr nötig haben: die Erinnerung von höherer Warte aus daran, dass das Leben größer, reicher, vielfältiger und trotz allem liebevoller ist, als uns in unseren dunklen Stunden scheinen mag. Diese Hilfe der Engel anzunehmen, tut gut.

So können Engel uns Mut machen, uns an unsere größeren Möglichkeiten erinnern und uns anspornen.

Unvergessen ist mir der Fall einer Frau, die sich in einen Kollegen verliebt hatte und sich nicht traute, diesen anzusprechen oder gar sich mit ihm zu verabreden. Nachdem diese Situation schon einige Wochen währte, begann sie, täglich eine Engel-Karte zu ziehen.

Schließlich zog sie dabei eine Tageskarte, zu der es unter anderem hieß: „Engelrat: Gott schenkt sogar Gewinne im Lotto, aber das Los dafür muss man schon selber kaufen.“ [2] Das Resultat waren ein Lachanfall zu Hause beim Ziehen der Karte – und eine Blume mit Gruß, die sie dem Kollegen am nächsten Morgen früh auf seinen Schreibtisch stellte. Mit großem Herzklopfen kam die erste Verabredung zustande, und weitere sollten folgen.

Mut zur Schwäche

Bei ernsten Problemen, in Schwierigkeiten, die wir alle einmal erleben, verkörpern Engel aber auch den „Trost der konstruktiven Resignation“: damit meine ich die Kraft, einer Krise oder einer sonstigen Notlage ins Auge zu schauen.

Ein Geschäftsmann hatte über Jahre in sein Unternehmen immer mehr privates Geld gesteckt, doch seine Firma kam aus den Schwierigkeiten nicht heraus und schlingerte weiterhin am Rande der Zahlungsunfähigkeit.

Seine Firma war sein Lebenswerk, an dem sein Herz hing. Aber das war nicht alles. Es fehlte ihm der Mut oder generell die Erfahrung, los zu lassen und dadurch einen Neuanfang zu ermöglichen.

Auf Engel und dann das Engel-Orakel stieß er, als er in einer besorgten Stunde – nach Jahren wieder einmal – in eine Kirche ging und dort vor dem Bild eines Schutzengels verharrte. Kurz darauf zog er eine Engel-Karte, in deren Beschreibung es hieß: „*Sackgassen beenden:* Werden Sie so erwachsen, dass Sie sich wieder wie ein Kind freuen und begeistern können.“ [3]

Das war für ihn endlich der Anstoß, zu seinen Schwierigkeiten zu stehen. Die Firma wurde umgebaut, produktive Bereiche wurden ausgebaut, unproduktive eingestellt, und heute führt er ein neues Leben ohne permanente Sorgen, das er zuvor nicht kannte.

Mut zu Freude und Trauer

In den guten und den schlechten Zeiten, auf den Tief- und den Höhepunkten des Lebens vermitteln uns die Engel die Kraft, unsere Seele wachsen zu lassen. So wird es uns möglich, *alles, was geschieht*, anzuschauen, zu sortieren und anzunehmen oder abzulehnen.

So können wir auch Freude und Trauer erleben und an diesen Erfahrungen wachsen. Gerade durch große Freude und große Trauer aber sind wir stets nahe an den Geheimnissen des Lebens und nahe bei „Gott“.

Dass wir in der Freude *„dem Himmel so nah"* sind, leuchtet vielen schnell ein.

Doch auch die Trauer hat ihre Würde, ihren Wert – und ihre Kraft. Die amerikanische Feministin Jill Johnston hat dies einmal in den schönen Worten ausgedrückt: „Wenn du glaubst, dass ich um meiner selbst willen traurig bin, dann hast du recht. Ich mag Menschen mit diesem speziellen Gefühl besonders gern. (...) Solange du nicht um deiner selbst willen umfassend traurig gewesen bist, weißt du nicht, dass du ein menschliches Wesen bist. Dann siehst du dich um und vielleicht zum ersten Mal siehst du dann, wie wir alle gemeinsam drinstecken und dann wirst du zum ersten Mal dieses komische Gefühl bekommen und so mit einen gewissen Schock feststellen, dass du religiös bist, obwohl du bei den französischen Existentialisten vom Tod Gottes gelesen hast."[4]

Schweres wird leicht

Wenn wir Probleme lösen, wo Probleme sind, und trauern können, wo Trauer angebracht ist, machen wir Schritt für Schritt auch Schweres leicht und schaffen den Raum für neue Liebe, neues Glück und neue Erfolge.

Engel sind Symbole. Sie erinnern an Kräfte, die in uns schlummern, und daran, dass das Leben größer, reicher, vielfältiger und liebevoller ist, als wir oftmals ahnen. Je mehr wir von diesen Möglichkeiten Gebrauch machen, um so mehr werden wir uns und unseren Mitmenschen zum Engel – zum Freund und Helfer – und um so häufiger gelingt es uns, (im übertragenen Sinne) selbst zu fliegen:

Fliegen lernen

Ein Flug zusammen
ist besser
als der freie Fall allein
aber
schlimm ist
ein Kreisen auf der Stelle
mit wem auch immer

(frei nach Roswitha Schneider)

1: Pia Schneider. Engelhelfer. Krummwisch 2007 (Königsfurt-Urania Verlag)
2: dort auf S. 32
3: dort auf S. 52
4: zitiert nach: Anja Meulenbelt, Die Scham ist vorbei. München 1978 (Verlag Frauenoffensive), S. 145; Sonderausgabe 2006.

Bildquellenverzeichnis

Karte 1 Giotto: Gottvater im Kreise von Engeln. Cappella degli Scrovegni, Padua.

Karte 2 Alesso Baldovinetti: Verkündigung, 1457. Galleria degli Uffizi, Florenz.

Karte 3 Benozzo Gozzoli: Angeli in Adoration. Palazzo Medici Riccardii, Florenz

Karte 4 Fra Angelico: Verkündigung an Maria. Kloster von San Marco, Florenz

Karte 5 Alessandro Botticelli: Die mystische Geburt, 1500. National Gallery, London.

Karte 6 François Gérard: Amor und Psyche, 1798. Louvre, Paris.

Karte 7 Simone Martini: Verkündigung, 1333. Galleria degli Uffizi, Florenz.

Karte 8 Edward Burne-Jones: Engel, um 1860.

Karte 9 Jan van Eyck: Verkündigung. Detail aus dem Genter Altar, um 1432

Karte 10 Raffael: Die Astronomie, 1508/09. Vatikanisches Museum, Rom.

Karte 11 Fra Angelico: Verkündigung Mariä, um 1432-33. Museo Diocesano, Cortona

Karte 12 Elihu Vedder: Die Schale des Todes, 1885. Virginia Museum of Fine Arts, Richmond.

Karte 13 Fra Angelico: Das jüngste Gericht. Museo di San Marco, Florenz.

Karte 14 Giotto: Ognissanti-Madonna, Kniender Engel. Galleria degli Uffizi, Florenz.

Karte 15 Carlos Schwabe: Der Tod des Totengräbers, 1895-1900. Musée du Louvre, Paris.

Karte 16 Evelyn de Morgan: Tobias and the Angel.

Karte 17 Fra Angelico: Pala di Santa Trinita. Museo di San Marco, Florenz.

Karte 18 Fra Angelico: Der Auferstandene Christus und die Marien am Grab. Kloster San Marco, Florenz.

Karte 19 Alessandro Botticelli: Trinität mit Maria Magdalena, Johannes dem Täufer und Tobias mit dem Engel. Courtauld Institute Galleries, London.

Karte 20 Leonardo da Vinci: Verkündigung, um 1473-75. Galleria degli Uffizi, Florenz.

Karte 21 Fra Angelico: Thronende Maria mit dem Kind und acht Engeln. Altarbild in der Kirche San Domenico in Fiesole.

Karte 22 Niccolò Dell'Abbate: Engel um 1571. Galleria degli Uffizi, Florenz.

Karte 23 Giovanni Battista Tiepolo: Abraham erscheinen die drei Engel, 1726-1729. Palazzo Patriarcale, Udine.

Karte 24 Andrej Rublev: Heilige Dreifaltigkeit, 1411. Tretjakov Galerie, Moskau.

Karte 25 Albrecht Dürer: Laute spielender Engel, Detail aus dem Rosenkranzfest, 1506. Národni Galeri, Prag

Karte 26 Frederick Judd Waugh: The Knight of the Holy Grail. National Museum of American Art, Washington.

Karte 27 Giotto: Die Hoffnung, 1302-1305. Cappella degli Scrovegni, Padua

Karte 28 Botticelli: Verkündigung, 1481. Galleria degli Uffizi, Florenz.

Karte 29 Jacope da Pontormo: Verkündigungsengel 1527-28. Capponi-Kapelle, Santa Felicità, Florenz.

Karte 30 Giotto: Verkündigung an Maria. Cappella degli Scrovegni, Padua

Karte 31 Giotto: Der Traum Joachims, 1302-1305. Cappella degli Scrovegni, Padua

Karte 32 Ferdinand Bol: Jakobs Traum, 1604. Staatliche Kunstsammlung, Dresden.

Literaturhinweise

A. M. Fröhlich (Hg.): Engel – Engel. Texte aus der Weltliteratur. Zürich 1991

Anselm Grün: 50 Engel für die Seele. Freiburg 2000

Ruth Kendell: Engel. Himmlische Zeichen deuten und verstehen. Bindlach 2004

Heinrich Krauss: Kleines Lexikon der Engel. München 2001

Ulrich Magin: Ausflüge in die Anderswelt. Rätselhafte Phänomene. Krummwisch 2000

Pia Schneider: Liebes-Orakel. Liebe, Glück, Erfolg. Krummwisch 2006

Pia Schneider: Engelhelfer. Krummwisch 2004

Andy Warhol: Engel, Engel, Engel. Weingarten 2001

Uwe Wolff: Die Wiederkehr der Engel. Boten zwischen New Age, Dichtung und Theologie. Stuttgart 1991

Uwe Wolff: Das große Buch der Engel. Freiburg 1994

Pierre Franckh
bei
KÖNIGSFURT-URANIA

Pierre Franckh
Erfolgreich lieben
49 Botschaften, um wieder glücklich zu werden
Set
Buch: PB, farbig, 160 S.
Karten: 49 Karten 95 x 140 mm
ISBN 978-3-03819-315-9

Pierre Franckh
Erfolgreich wünschen
7 Regeln, wie Träume wahr werden
Deck
Karten: 49 Karten mit Anleitungskarten, 70 x 110 mm
ISBN 978-3-03819-023-3
Auch als Geschenkset (Karten mit Anleitung) erhältlich
ISBN 978-3-86826-100-4